劉福春・李怡 主編

民國文學珍稀文獻集成

第三輯

新詩舊集影印叢編　第113冊

【臧克家卷】

嗚咽的雲烟

桂林：創作出版社 1940 年 7 月初版

臧克家　著

向祖國

桂林：三户圖書社 1942 年 4 月初版

臧克家 著

花木蘭文化事業有限公司

國家圖書館出版品預行編目資料

嗚咽的雲烟／向祖國／臧克家　著 — 初版 — 新北市：花木蘭文化事業有限公司，2021〔民 110〕

36 面／ 172 面；19 ×26 公分

（民國文學珍稀文獻集成・第三輯・新詩舊集影印叢編　第 113 冊）

ISBN 978-986-518-473-5（套書精裝）

831.8　　10010193

民國文學珍稀文獻集成・第三輯・新詩舊集影印叢編（86-120 冊）
第 113 冊

嗚咽的雲烟
向祖國

著　者　臧克家
主　編　劉福春、李怡
企　劃　四川大學中國詩歌研究院
　　　　四川大學大文學學派
總編輯　杜潔祥
副總編輯　楊嘉樂
編　輯　許郁翎、張雅淋、潘玟靜　美術編輯　陳逸婷
出　版　花木蘭文化事業有限公司
社　長　高小娟
聯絡地址　235 新北市中和區中安街七二號十三樓
　　　　電話：02-2923-1455 ／傳真：02-2923-1452
網　址　http://www.huamulan.tw 信箱 service@huamulans.com
印　刷　普羅文化出版廣告事業
初　版　2021 年 8 月
定　價　第三輯 86-120 冊（精裝）新台幣 88,000 元

嗚咽的雲煙

臧克家 著

創作出版社（桂林）一九四〇年七月初版。原書三十六開。

創作小叢刊
嗚咽的雲烟
臧克家
創作出版社發行

創作小叢刊第一輯

孫陵主編

（1）

嗚咽的雲烟

臧克家

目錄

嗚咽的雲烟

像一隻候鳥
馱一面冰天，
翹起翅膀
飛向溫暖——
你的書信
沈浮了兩個季候。
當戰地桃花在風前敗陣，
它才飛到了我們眼前。

是一滴淚水
泛濫了紅的堤垾？
着蹂躪不堪的封皮上
一片嗚咽的雲烟。

我們山海關那邊，
投一個遙念。
你的心在抖，
手在戰，
不是這麼說麼？
當你拔開筆管
窗外的的狂風正伴舞齐雪片。
陰慘封固着人心，

— 2 —

堅冰給「白水」加一條鎖鍊，
但是嚴冬不會長久，
春天就在它的後面。

一萬句話
來礙你的筆尖；
千鈞之力
壓住了手腕，
放下筆
又幾次拾起筆，
在紙上面
寫下了二字「平安」。

祖國叫我們這樣

（為河南「戰教團」同志們作）

衝破了學校垣牆
圈成的天堂夢，
衝破了溫暖的囚牢——
膩人的家庭，
不能卑怯的僥倖
片刻的安甯，
不能做一隻羔羊
聽敵人霍霍的磨刀聲。

— 4 —

我們有鐵的路膀，
壯的心胸，
我們有斗大的胆，
戰鬥的力量在週身跳動。
男的女的，
一起馳出中原——
一羣野馬
掙斷了韁繩。
向山野，
向農村，
向火線，
向着戰爭奔騰。
我們向農民學習，

向工人學習，
向士兵學習，
爲祖國我們貢獻出自己。
我們用雙手
去推開一道道難關，
我們的武器是戰鬭，
我們的力量是集團。
工作在手頭，
日夜牽梭，
我們會歡笑
更會唱歌，
歌唱勝利，
歌唱明天，

— 6 —

歌唱自已
無比的勇敢，
我們在土匪窩裏
說着『黑話』
一寸舌鋒
把一串黑心拉向了光明。
在紅槍會裏，
學會了符咒和經文，
我們把更多的東西
教給他們。
認乾爸，認乾媽，
結兄弟 拜姊妹，
把感情做了

敵亡的蹤跡。
用行動實證
口裏的諾言，
在戰壕裏
我們同士兵
肩比着肩。
一樣衝鋒，
一樣流血汗，
我們立在
戰爭的最前綫。
在游擊區裏
我們自由的馳騁
我們呼嘯

— 8 —

在大別山中。
聽風號，
聽雨聲，
天上的星星，
最清楚我們的動靜。
暑天的太陽，
灸凝了身上的血漿，
三九的尖風，
吹得破棉衣沒了分兩，
一點油花，
幾棵菜梗，
都不常來到
我們的碗中。

沒人抱怨
粗飯拉得喉嚨痛，
因爲，誰也不比誰
吃得更好一星。
臉黄，腿腫，
多數人患着一樣的病：
在我們的身體裏，
缺乏一種維他命。
在前方流過血
或患病不能動，
有同志們肩頭
舁我們同行，
敵人從幾十步外馳過，

叢莽圍護住，
大家的生命。
奮鬥的羣體裏
我們共死生，
誰的心窩間
還會再蜷伏着狹小的感情？
在鬥爭裏生長，
在鬥爭裏死亡，
祖國叫我們這樣，
心，叫我們這樣。

過渦陽

渡過淝水
北向渦陽城，
想當年
謝安閑敲着棋子，
勝利傳來像一陣風，
直到今天東去的濤浪
猶作人頭落水的響聲。
沿途的農人割着私禾，
蟈蟈叫出四野甯靜，

— 12 —

人臉上看不出戰爭的驚擾，
農村在做着秋天的夢。
一帶地形，一片風景，
把人引入故鄉中，
故鄉幾千里啊！
故鄉的烽火正紅。
渦陽城，
去年被過敵兵，
十間房子十間沒有頂，
至今還是半邊衰落半邊空。
〝焦黑的斷牆上，
強有力的質問：
血紅的標語——

「是誰炸毀了我們的房屋？」）
老百姓擠在庫房的窗子外
爭着完糧，
三項運動
廣播着力量，
一面小白旗插在路旁，
一個壯丁持一枝紅的纓槍，
他盤查貨物盤查行人，
不叫漢奸同仇貨漏網。
行新政用新人，
把腐臭的空氣化成清新，
十幾歲的女鎮長把着政柄，
見人臉上漲一星紅潤。

—14—

國旗飄在雅雀尖

二寸照片，
留下了一角大別山，
留下了大別山的頂峯——
挺秀的鵶雀尖。
三個人影簇在山巔，
一張地圖牽着六隻眼，
身邊的草木在風前低頭，
一面國旗飄起了青天、

樹影籠着十個士兵，
深艸吞沒了半截腿脛，
刺刀冷亮，鋼盔烏青，
瞪着一雙决死的眼睛。
這一張平凡的照片，
包藏的故事却不平凡，
追溯這個故事的誕生，
要把時間倒流上兩年。
那時候，正在保衞大武漢，
那時候，正血戰在大別山，
那時候，這一支常勝的鐵軍，
奉命把守這天險——鴉雀尖，
他們戰過台兒莊，

他們戰過娘子關，
他們戰過琉璃河，
于今又來戰大別山。
雅雀尖鎖着商麻公路，
雅雀尖鎖着武漢外圍的門戶，
正可以作個尺子，用它的高，
去量它在軍事上的重要，
這一師：兩個旅，三個團，
用機槍，用大炮，
用血肉，用勇敢，
作了它鐵的防衛線，
在敵人的炮彈下，
斗大的石頭飛上天，

在敵人的炮彈下，
人馬紛紛滾下了山岩，
多少弟兄昏倒在地下，
毒氣在山上散做雲烟。
下了葉家集，
下了商城，
狹洲師團
憑一股銳氣要攻下這天險，
一道嚴峻的命令，
下給這師人，
死，也要守住鴉雀尖，
戰況到了緊張的高度，
指揮所從山腰移上山巔，

—18—

這表示一個決心，
像一張弓把弦拉滿，
師長同兩個參謀人員，
一回他又立起身來，
望遠鏡中把眼光射遠，
電話鈴聲叫他說話，
一個團長向他求援，
他說陣地已經動搖，
一團弟兄戰死了一半，
「士兵死了，排連長上去，
排連長死了，拿營長去填！
看準你的錶，兩個鐘頭，
我把援兵送你跟前！」

沒有兵力給他增援，
給他送去的是國旗一面，
另外附了一個命令，
也是悲痛的祭文一篇，
「有陣地，有你，
陣地陷落，你要死！
錦繡的國旗一面，
這是軍人最光榮的金棺：」
這時候，砲火密得分不開響聲，
砲彈落到他左邊右邊，
驚飛的石子像雨點，
紛紛打在他的身間，
槍彈穿擲了頭頂的樹葉，

—20—

敵兵已衝到了山前，

特務連里十個決死隊，

一個命令跑下了山，

他用完了所有的兵，

而且，把他們放在必死的當中，

頭頂上懸起了同樣的國旗，

他從容的在候着電話的鈴聲。

附記：前年大別山戰役，××師奉令扼守鴉雀尖，師長×××氏，預做國旗七面，（二旅長，三團長，參謀長，另外一面是他自己的。）在戰局危急時，即以國旗分贈，示必死決心，鴉雀尖敵將衝上時，師長令敢死隊十人衝下山頭後，即于樹間將國旗飄起，預備做光榮之犧牲，置諸死地而後生，敵人終不得逞，當時在鴉雀尖留有二寸照片，至今猶存，敢死隊十名，生還者少，××師以「雅雀尖勇士」呼之。

我們走完了一九三九年

——給孫陵雪垠

我們舞飛
在戰鬥的風前，
我們撑動時代的輪齒
旋轉，
我們用五千里的長征
送走了「一九三九」。
身子漏下了密的火網，
一扭頭，又跑到敵人的後方，

—22—

走過中原的大野，
眼睛把不住邊緣，
也曾陷身亂山中，
目光展不到一丈遠。
我們的步子
接起了大洪山和大別山。
春風拚催桃梨開花，
獸軍十萬
向隨棗伸張爪牙，
在森林寺的第一線，
我們
同敵人對立，
一百步遠。

（天空的孤月和星羣，
是我們好的證人。）

我們的筆桿
碰着槍桿，
我們的左肩
抵着戰士的右肩。
大炮
不許時間中斷，
打過來，
還回去，
點亮了黑夜，
崩裂了峯巒，

—24—

打紅了大洪山。
生命幾次跌倒在死的面前，
又幾次爬起來，
賴終天揭不開的那場塵霧，
護送我們入走入了安全。
（生命的穀子是這樣堅硬，
感謝炮火賜給的洗煉。）
我們的舊路
忽然被切斷，
周遭的敵人
畫成一個死圈，
突破它！

腰間佩上了短槍，
只有戰鬥
才能打破這險關。
逐着大隊兵馬
出沒在山谷間，
强抵住飢渴，
戰鬥着，
戰鬥着，
不分白晝，
不分黑天。
越過荒山
黃昏正來臨，
一個山村死絕了生機，

它滿懷空虛候着大胆的旅人。
脚掌上水泡成串，
也不管，走，走，
走過山崗，
走過艸原，
十天十夜，
敵人都是追在後邊。
一個勝利的消息
闢天落下
歡喜的眼淚
落到了臉前。
不會忘記：
森林寺，

萬家店，
搭兒灣，
還有厲山。
不會忘記
戰士神勇的姿態，
不會忘記
這精彩的戰史一篇。
六月的太陽
送我們入大別山，
漫漫的途程上
汗水流下了一條長線，
熱風煽得心頭起火，
一層白皮從臉上剝落。

—28—

一場驟雨
把人留在山村的野店，
身子剛着地，
鼻孔就打鼾，
山裏的狼號
代替了雞鳴，
一聲犬吠，
驚動了千萬個山巒。
我們到蒙城，渦陽，
去弔今戰場，
又渡過淮河
直插入立煌。
（大別山的心臟）
我們是一個新的刺激，
送入他們的眼，
從他們那地方
我們也嗅到了新鮮，

前方後方
一樣是在戰鬥，
只是遙遙的關山
把人同消息一齊隔遠。
不怪回頭路上
覺得衣單，
原來季候已從長夏
走入了秋天。
我們就這樣走着，
脚步接着脚步，
我們就這樣走着。
肩靠着肩，
不要把這三人的「筆部隊」小看，
它在堅苦中
走完了五千里路，
它在戰鬥中
送走了「一九三九年」。

—30—

民國二十九年七月初版

二五〇〇

創作小叢刊

嗚咽的雲烟

實價三角
外埠酌加寄費

著作人 臧克家

發行人 張浩然

發行所 創作出版社 桂林榕蔭路四十六號

廣西省圖書雜誌審查委員會審查證二八五號

向祖國

臧克家 著

三戶圖書社（桂林）一九四二年四月初版。原書三十二開。

向祖國
臧克家
桂林三戶圖書社發行

向祖國

臧克家

1943

向祖國

著　者：　臧克家
發行者：　三戶圖書社
地　址：　桂林中北路107號
印刷者：　中國印書館

31,4 初版
1-2000

（一）

號搖著山[illegible]
這十月天的勁風，
呼嘯的山林
散作了萬壑刀[illegible]，
黑夜一手掩沒了天地，
三五個寒星像鬼的眼睛。
山村的狗子慣好[illegible]，
用自己的聲音壯自己的膽，
細碎的腳步，渺茫的人影，
也會惹得它吠吠幾聲。
今夜的情形
可有點不同，
山徑上的人羣
搓成一股繩，
步子像[illegible]上

—1

打上了幾次
每一張口，
都被沉默嚴封。
家家柴門
被扣得發抖，驚鳴，
冷風的手
扼死了悲切的呼聲，
四下裏犬吠
要把山石裂碎——
一條被號角鼓起的雄兵，
挺向頑敵作決死的鬪爭。
彭守成走出了他們的茅屋，
提一支烟袋垂兩穗紅纓，
對襟棉襖束一條大帶，
褪白了的布面黑影給染得烏青、
他明白，又是城裏「逃犯」的人羣，
一個消息把他們隔來了山中，
（也許是一陣謠言的風），
投親奔友，
　　挨餓挨凍，
一句老話送給他們慰安：
「大亂住鄉，小亂住城」。
天天驚着鬼子要打信陽城，
也天天聽到斷續的砲聲，
飛機倒是常從頭頂上過，
可是，并不曾眞的到過一個日本兵。

他心下正在這麼想着，
眼前滑過了一顆「掃帚星」，（註一）
歎一口氣反閉了柴門，
一家三口對着一盞菜油燈
妻子的頭髮青絲一把，
燈光也照不笑老娘的眼睛，
這三間茅屋暫作了「桃源」，
他們守着今夜的寧靜。

（二）

彭守成，三十歲的一條莊漢，
三十年，困苦沒有放鬆過他一天，
祖宗的一脈血，
流在他們的每一支血管，
正像他的名字所啓示給人的，
他，「守」着先人的純樸，馴服和良善，
可是先人並沒留給他什麼，
除了三間茅屋和壓在背上的生活重担。
他沉默，
沉默得像一座火山，
他頑強，
頑強的像石頭一樣。
山谷
給他劃定了一個天地，
都是在這裏流汗，生息，
一代一代從幾世祖先開始，

吞着辛苦，
握着鋤把，
最後用了自己的屍體
去喂養生前耕種的田地。
這田地可并不屬他有，
這田地的主人叫王百萬，
「丁頭牌」已經掛過兩次，
他是他的佃戶，
他是他的奴隸。
當春風吹開了滿山的花，
他搬動了用過幾代的犁耙，
到了秋風吹得樹葉響，
他的小倉屋居然也填飽了一個希望，
像他的眼睛飛不過山頭，
他的心會不向着山那邊去想。
他的手
寫不出自己的姓名和家鄉，
智慧拒隔他
十萬八千丈。
他熟習的是那一條山路，
它引他到主人那邊去，
去給主人送款，繳糧，
去替他守夜崗，
憑自己的生命
去保衛別人的生命
憑自己使用的武器——

（三）

山村的夜，像往常
從無夢的穩睡中滑過，
當晨光在天幕上放映出峯帶，
一個霹靂震聾了每一隻耳朵：
一支太陽旗
在信陽的城頭上飄起！
它捲跑了多少人的安樂與幸福，
它高標着殘暴與無恥，
它飄着每個中國人的恥辱，
做了血與仇恨的標誌。
這消息不留一點餘地
再叫彭守成懷疑，
千萬個難民的慘號，
用抖顫的短話，
用失了顏色的臉子，
用父子不相顧的驚惶
給了他一個證實。
「這裏離城還有五十里，
深山中鬼子是不得到的」！
事實進一步向他追迫，
他，彭守成也把苟安的心理推遠了一步。
他懷着槍，
懷着一顆忠誠的心，

在大難臨頭的時候，
他去探望他的主人。
遍地人影，
像霧秋坡下的情形，
拉着孩子，牽着畜牲，
哭爹一聲，喊娘一聲，
心是石頭，
也崩裂發痛！
像沒有一個安全的地方
叫身子暫停，
也沒有一定的方向，
任如飛的步子南北西東。
公路兩邊尸身疊疊，
一地碧血在太陽下發紅。
有的大腿還在抽搐，
死屍堆裏透出了細弱的呼聲。
對着這慘景，不必說人，
就是天公也睜不開眼睛！
槍枝同人尸一樣，
不論姿勢的七豎八橫，
槍同戰士一樣
曾肉搏又衝鋒，
刺刀上留着紅血，
刺刀上響着西風。
大砲從昨晚打到天明，
現在，他行走正迎着炮聲，

彈簇嘰嘰從頭頂飛過，
轟一聲，鐵片子向四面八方掙，
倒下去，爬起來，
他撿了一條生命。
明明是一個鄉親迎面走來，
叫他十聲，十聲都不答應，
倉惶裏認清了誰在喊他，
腳一停，眨了一下發直的眼，
步子又開始倉惶的移動。
一顆忠心在胸中跳動，
冒着死跑到了主人的家中，
主人却已經不在這裏，
一片瓦房穿滿了炮彈的窟窿。
他立在滿地碎瓦上，
悲傷又淒涼
壁上的砲眼爭著向他苦訴，
大裂着嘴一張又一張。
這時候，
許多陌生的想像
闖到了他最現實的心頭，
他想到主人的命運，
他想到每次來到門前
向他擺動尾巴的那條老黃狗。
他想到日本兵一到，
「百萬」家財不也變成了空？
他想到，炸彈砲彈，

也沒長着歡賞愛喜的眼睛。
自己的身山已經搖動，
他開始知道了害怕，
同時，也開始知道了恨和憎。

（四）

荒雞張開了第一次口，
它呼喚太陽駕起他的金輪，
山村剛跳出夜的井淌，
抖顫在拂曉的槍砲聲中。
槍聲，稀又緊，遠又近，
槍聲是爆裂的每個人心，
像「二月二」幽谷起身的驚龍，
帶起來一串沉雷——
這大炮的轟擊！
山哭了，
石頭是眼淚，
繞起山峯的白雲，
一齊作急忙的紛飛。
紅光一片又一片，
像秋後處處在「燒山」，
火光是一個紅的標記，
那裏就是一個村子。
火，舐着山峯，
火，繪着灰暗，
火，咽着莊村，

火要燒毀這世外桃源。
彭守成立在自已的門外，
立在黎明之前，
瞪着眼，牙齒在作戰，
他的心也覺得發冷，
但，這與十月的冷風無關。
他，一家三口離家去逃難，
老娘抱着一隻花母雞——
她心上的財產，
門上了鎖，一隻小狗不跟着走，
它替主人看家守在門前。
他們躲進山坡的松林，
直到正晌的陽光撒一地松針，
火不再燒，砲聲已死，
這才試探着走回家門。
門，半閉半開，
生銹的鐵鎖碎了尸骸，
守着一攤忠心的碧血，
小狗睡去它不再醒來。
恐懼現形在想像之中，
恐懼存在于事前事後，
真正恐懼來到了眼前，
他推開了門，用大胆的手。
三個日本兵搶了上來，
眼對着眼，槍口對着胸口，
他們像是這裏的房主，

用武力拒關陌生的闖入！
那一張睡榻上，
縱廣[illegible]起，
像三隻瘋狗露身在床，
把一牀老棉被打在當胸。
地上是血跡，
被上是血漬，
紅血
映進他睜大的雙眼！
三個日本兵
向他亂嘟囔，
指指自身，
指指牀上，
最後指頭向門外一點，
把刺刀向下作刺殺的虛樣。
這意義彭守成完全弄得清，
雖然這套話他一句也聽不懂，
但可以作一次翻譯，
用人與人間相差不多的心靈。
送走了那三個日本兵
用他的眼睛。
剩下的三個
在牀上半死半生，
彭守成在地上走來走去，
一把烈火燒在他胸中，
他想起了主人的家庭，

他想起了剛才的火紅，
他起了公路兩邊的那血跡，
他，他想起了許多事情。
從腰間摸出了那支短槍，
嘭，嘭，嘭，
他槍斃了三個日本兵——
他槍斃了自己苟安的半生！
他要離去了，——
離去
這被風雨吹打爛了的茅草屋，
（他幾世祖先親手創造的）
離去
這山嶽，山嶽環抱着的砂土。
（他幾世祖先親手耕種過的）
在這臨去的片刻間，
這茅屋裏的每一件東西
向他投一個留戀：
倉圍鼓一個小圓肚，
梁上的犂耙在靜靜的睡眠，
供他安息的那張木牀，
它最知道他們的寒暖，
牆角上的蛛網
像他的別緒，
一絲一縷到處亂牽。
他硬的眼睛裏
擠出來兩滴清淚，

走出門來，
把一支火柴點上了茅簷。

（五）

沒有買馬
也沒有招兵，
也沒有號召民衆
用裂破嗓子的呼聲，
武裝的民衆
像就下的流水，
自然匯注到桐柏山中。
家庭，
向他們閉死了溫暖的門，
縱然甘心流汗
那大塊黃土也不再養育他們。
突過了砲火樯成的生死綫，
推倒了困苦的堅壁萬千，
眼淚同歎息落到了渺茫裏，
掙脫了敵人的手，
每張背上打一個血的印子！
帶着打鳥的槍，
一支長矛披起紅纓，
最新式的「捷克」也有——
大軍轉進撤下的火器，
再就是爲了保衞別人的財富
日夜不離手的小「波浪甯」。

長短的衣服
正如長短的槍，
年紀的差別
也同槍一樣，
有些孩子還沒長全身量，
有的鬍子已三寸長，
不管衣服有多少花樣，
不管槍支有短有長，
不管年紀的大小，
體魄的弱强，
總歸一句話：
被壓迫的人們，
永遠頂着一個命運，
被壓迫的人們，
永遠站在一條線上。
沒有一個名稱
寫在布上作個旗幟，
三十九個抗日的無名英雄，
彭守成就是他們的司令。
沒有紀律，
連起他們的是一縷感情，
不缺乏義氣，
缺乏賞罰把功過彰明。
更說不上什麼官長與士兵，
鄰里鄉親彼此都是兄弟相稱，
坐地砲，獨眼龍，

——13

他們彈嫗的
亂喊着「鬼名」。（註二）
他們的行動
不一定跟着命令，
（一個觀念扎根在心胸，
打日本還要什麼命令？）
指示行動的
也許是一時的高興。
早晨，三個小影子把槍上了肩，
離開營寨走向青山，
活力惟怕生命銹蝕，
他們到處找敵人打着開心。
朝陽的紅光下剛見影子在晃動，
一轉眼
松林那邊送過來一片哭聲。
傍晌了，
不見回頭，
過午了，
還不見回頭，
黃昏護送他們歸來了，
沒見到人面
先聽到說笑。
黃昏殷勤招手
向着司令：
「沒缺一個吧，
請把人數點清」。

交下了人它便退後，
黑夜這才向人間探頭。
一進門，三個人
把六支大槍向地上一「傾」，
誰也不開口，
寒冷在臉上結著紅色的笑容。
「唔，原來臉也會『分生』」…
伙伴們向他們三個圍攏，
在這三條「好漢」的身上，
紛紛的撫上了手，投上了眼睛。
「不怪它會『分生』，
誰還出去，天這麼冷」？
拘一綑柴來，點上一支火，
用燦爛的火紅
來慶賀出擊的成功。
二長青的口
從來鎖不著心裏的話，
「狗肚裏存不住黃油」！
大家都是這樣說他，
今晚正是得意的時候，
馬致最先打開了他的口：
「像獵人尋找兔子一樣，
一找就是一個半晌，
又飢又渴，剛要回頭，
覺得已經沒了指望；
三個『老日』，

══15

忽然在面前的松林中出現，
手提着槍，口吹着哨，
像在自己的園林裏遊散，
看那神氣，「臉朝着天」，
司令口中跳出個氣憤：
「他們眞是眼中無人」！
「對準後腦勺
甸的就是一響，
『再叫它出來「打擾」』
一槍送回了他老家去」。
二長官把話一停，
留個空叫別人補充，
尖頭頂趕快把話搶過來，
生怕話頭一回要僵冷：
「我們的槍接著響了兩聲，
那[illegible]也放倒在松林，
三個一齊出來，叫他們一塊歸陰。
埋掉它，樹[illegible]底下挖個深坑
連一滴血也不留在地下，
想要尋找這三個尸首，
除非它們身旁的松樹能夠說話。」
「我想起了那雙大皮靴，
他們不[illegible]，多好看，又黑又亮，
沾着血有[illegible]係，
那有殺人[illegible]血的事」。
野和尚最後歎了口氣，

深深的[illegible][illegible]桃表示了惋惜！
勝利的[illegible][illegible]
把黑夜[illegible]遮，
火燒出興奮的
[illegible]不[illegible][illegible][illegible]，
土地上，
稻草放一陣芬暖。
身挨身，心靠心，
[illegible][illegible]個子一齊倒在了土邊。
門前坡上兩個崗兵，
兩支鋼槍保衛戰士們安眠。

（六）

敵人給他們送來了槍，
敵人給他們送來了馬，
隨著日日擴大的聲勢，
他們的人數也天天有增加。
有小隊的「團丁」加入進來，
有零星的學生加入進來，
不斷的水流流向裏邊，
他們是不擇細流的海。
他們的號兵
開始用銅的號筒
吹出鬥爭的鐵的心聲；
他們的人馬馱起司令，
開始呼嘯著

——17

在原野上馳騁；
他們開始有了
牲口和車輛，
刀兵來到，[illegible]；
他們開始有了自己的旗子，
白底黑字，
「人民自衛軍」
到處把抗日的威名傳揚。
智慧
開始在頑固的腦子上鑿孔，
隔一道烽烟，彭守成
他遙遠望見了一個英雄的幻影。
他想起了從別人口中
聽到過的故事：
「漢高祖斬了白蛇
才打出一個天下；
劉秀當他沒得到江山，
還不是一個地道的莊稼漢」？
「自衛軍」中
居然也聽到了救亡歌聲，
在寂寞捉[illegible]人的時候，
在太陽下捫着蝨子的時候，
（臭虫是軍艦，
蚤蝨是步兵
嗡嗡的蒼蠅，
叫它做空軍；

18

這[illegible]」首長向[illegible]進攻，
就叫他們日夜進襲敵人。）
在打了勝仗歸來的途中，
歌聲便飄起了：
「我們在桐柏山上，
山高林又密，兵強馬又壯……」
沒有調也沒有腔，
說是唱其實有點勉强。
（說是哼，倒還像）
兵強馬又壯，
只許打勝仗却打不得敗仗，
一個針尖大的勝利，
給每人一個天大的歡喜，
信心立即升上了天，
覺得敵人比地還低：
一個小的挫折
壓垂了多數人的頭，
一個個信心
在胸中跌倒，
有的相對歎氣，
有的在司令面前不住嘴的嘀咕：
「拿一支破土槍
去撒坦克車，
憑一條肉身子
去擋炮彈，
這不是情着去送死，

══19

往石頭上去摔雞蛋」？
可是沒有人眞的走開，
口裏說說就算完，
說完了喪氣的話，
一樣抱起槍來在戰鬥中去逞勇敢，
因爲他們後退的生命線，
被敵人的手一條條全給截斷！
他們正在相對無言，
竹杖把一個老太婆拖到了司令部門前，
口裏喊着兒子的名，
淚絲給蒙了她的老眼。
「孩子啊，你出來當游擊隊員；
到家去看看，
『老日』前晚放了一把火，
咱的房子一淨二乾了！
這仇恨越結越深，
（比老海還深）
這仇恨越結越堅，
（比石頭還堅）
要想這仇恨消除，
除非是海枯石爛！

（七）

「人民自衞軍」，
他們處處保衞人民，
他們也是才來自田間，

身上的衣服還沒有變。
他們的偵探網
各地撒徧，
每個老百姓
就是一個幹探，
（甚至是一個婦女
一個兒童。）
循着「良民證」，
他們大搖大擺的出入信陽城，
他們的人常常停宿在
遞河，駱駝店，維持會長的家中，
敵人的動靜他們最清楚，
清楚得像指着北斗七星。
沒有誰發給他們口糧，
走到那方吃到那方，
呼一聲伯伯，叫一聲大娘，
到處有吃喝不盡的飯，湯。
困難教給他們一個乖，
寫一張紙條
請富戶「樂捐」，
（身上的血被別人吸乾，
反過嘴來了，今天。）
他們並不用威脅的槍桿，
字條上寫得明白又簡單：
「抗戰不分貧和富，
我們出力，誰應出點錢。」

——21

饕開十二月的冰凌
渡過淮河，
水流的白刃
在腿肚上亂割，
周身的肌肉上
顫抖着寒冷，
小徑
朋友似的熟習，
領着這小隊遊擊夾兵
走向信陽——敵人的大本營。
一樣的黑夜，
信陽在黑夜的手臂中朦朧，
走在自己的土地上，
心，爲什麼這樣沉重？
沒有誰的命令，
走近了城根沒一個敢作一聲。
對準車站，
對準兵營，嘭嘭就是一陣槍聲，
樹上的宿鳥，撲着驚飛，
黑夜像冷水
立刻沸騰，
轉過頭來，
走上了回程的路徑，
拍開一家老百姓的門，
坐在房裏聽發狂的炮聲，
從炮聲裏聽不出威力。

敵人用大炮鎮自己的虛驚。
順手扯着一條電綫，
一段一段給他截斷，
（就像截斷敵人的脈管）
鐵絲錚錚地作一聲呻吟，
落在地下捲縮了腰身，
木桿子排列在星光下，
像一羣割掉了手臂的巨人。

（八）

冬天的夜
要數盡八遍鷄聲，
山村的夜，
深似古井的窟窿，
五六個山村
緊抱住一千個戰士熟睡，
一個個山嶺
給他們守衛。
警覺的心
突被槍聲叫醒，
（他們常是這樣睡覺，
緊閉着雙眼，半閉着心）
下略

（九）

春天到了，
春風給焦土吹上了綠意，
春花開了，
開滿了鮮血洗滌的大地。
呢喃的燕子，
為補舊巢忙着去啣泥，
祖國破碎的河山，
正等待志士重新去收拾，
春天，
使人把仇恨記起，
不是嗎，
大地的酥胸
等待着鋤犂；
春天正是戰鬥的季節。
他們，遊擊健兒，
脫下了一身白嘴的老破襖，
一個一個換上了樸質的單衣
像春風吹長了萬物，
春風也吹長了他們的集體，
人數從一千
長到三千
他們的一面大旗，
是一面有力的磁石。
白天是敵人活動的時間，
像天上的星花，

村村落落
落滿了游擊隊員，
（飛簷的翅子罩死春天，
也不會尋出一點破綻，
就讓鬼子的鼻子再尖，
也嗅不出一個游擊隊員）
黑夜敵人正要睡眠，
星花已封閉了一天，
你去游河，
我去尖山，
槍聲
不讓敵人闔眼。
「破壞隊」專和鐵軌對命，
兵車給他們開來了喜歡。
鐵軌又不能大呼一聲「危險」！
（鐵軌就是有口，
我想鐵軌也決不作漢奸！）
火車頭的燈像一隻傻眼，
跑到了跟前，咚的一聲，
車身倒下去輪子朝了天，
彈藥裂開了嘴大哭，
人，打個半死，碰個稀爛。
封鎖是戰場，
天天在前線，
戰鬥
不肯容忍過一天，

每次出去的人馬，
回來的時候都不齊全，
他們用兩樣祭禮來追悼：
悲傷的眼淚，
殺敵的勇敢。
堅難，
能把鋼鐵鍛鍊成繞指的柔軟；
堅難，
也可以把一塊頑鐵磨鍊得同鋼一般。
彭守成——
敵人教給他了聰明，
戰爭送給他個斗大的膽，
他知道了用紀律的鐵鍊
去鎖住散漫，
（散漫，
就像敵人一般！）
他知道，
臉前的艱難如千萬重山；
幌在他眼前的那個英雄的影子，
倒了，
他覺得千萬顆心
在他身上壓了一個大的希望，
（他的心覺得沉甸甸！）
他覺得自己的一舉一動，
多少人在瞪着雪亮的雙眼！
（他覺得有一個沉重的擔子擱在雙肩。）

（十）

夏天的高粱，
遍地扎好了綠色的營帳，
無際的原野
成一片綠海，
不知不覺
敵人便會陷在當中。
營帳
留戰士宿營，
營帳
把戰士隱藏，
敵機的翅子剪着高粱穗，
一個又飛過了，帶着失望。
黃昏 [illegible]
散開了蚊陣，
大們咬了
釘上了赤身，
一動也不再動，
簡像釘子一樣。
朦朧中啪的一聲，
（像拍死一個敵人）
血，濺紅了手掌，
毒的太陽，熱的風，
青紗帳直是蒸籠一般，
不必說人身上要蛻一層皮，
鐵的槍筒子也在出汗。

西天的黑雲頭[illegible]一個「雨脚」，（註三）
暴雨來了，先起一陣呼嘯的「[illegible]牆」，（註四）
暴雨給一個痛快的沐浴，
沖洗一下汗臭的衣服，
裸身可不能叫它淋雨，
擦來擦去半天的工夫，
你說他們的生活苦，
他們却情願嚐着這戰鬥的苦趣。
夏夜場園裏！
搖一把蒲扇，
無頭的故事
纏着旱烟……
那是一個夢裏的世界；
那個世界離他們已經很遠。
他們有說也有笑，
用說笑來解戰鬥的疲勞，
他們說着，
狗咬大砲，（註五）
稻草人站崗，（註六）
他們說着敵人怎樣又怎樣。
（把眼前的實況當故事來講）
他們却不敢叫烟鍋
在夜間吐露一點火光，
這裏那裏暗摸敵人
就像尋找兔子的獵犬一樣。
在一個地方

停留不上一日，
像枝頭的「咪幽呱」，（註七）
在這棵樹上
剛停住脚，
「咪幽」的一聲
又張起了牠的翅膀。
敵人把自已封閉在幾個據點，
用碉堡群，
用電網
用丈八深塹。
我們的戰士
直追到城下，
「伸出你的烏龜頭來」，
用靦靦的子彈向敵人辱罵。

（十一）

隨着奔材的歸鳥
他們到龍井去宿營，
彭司令，坐地砲，……
一共四十個健壯的弟兄。
高粱棵裏悶了一天氣，
可到來了要乘浴一下晚風！
消息像是長了腿的一樣，
消息走到了敵人那方，
黃昏引來了成千的敵兵，
把座小村子圍得四面不透風。
坦克車像木桶上的鐵箍，

死死的纏在它的腰間，
沒有一個生門開在他們面前，
抵抗吧，力量的對比像拿地去比天。
彭司令，他們四十個，
有的垂頭，有的嗚咽，
英雄有淚，
就在這時候飄灑。
淚，
是命運碰開的白花，
淚，
是情感的泛瀾，
淚，
是義氣的交流，
淚，
照出了鐵的肝膽。
「眼淚救不了我們，
只有衝！
用槍，用生命，
從必死裏去求生」！
彭司令，幾句話
打飽了四十個人的精神，
人分開，立即就行動，
向着南北，
向着西東。
急亂的腳步要把牆帶到，
槍聲瘋狂了的一般，

他們跳下去了——
跳下了這個死圈。
彭司令和九個弟兄，
正要衝出去，
敵人已經到了砦子，
在他們之先一步，
反身把槍投下了井筒，
看自己面前是怎樣的一條末路。
用篦子一樣的鐵手，
敵人把砦子「梳」了一遍，
一無所得，空費了心機，
他又無法揭開地皮！
第二天一早他招集了民衆，
硬迫他們交出「毛西」，（註八）
一齊用手勢說着『沒有』，
表示不信，他搖一搖頭。
他的眼睛在人身上溜，
他用眼睛到處亂碰，
遊擊隊員的臉上幷沒貼着招貼，
可是，他的指頭卻變成了大家的運命。
第一個指頭就對上了坐地炮，
一手把他提出了隊伍，
彭司令臉色一晃，
連眼皮也不敢翻，心跳得發慌。
敵兵軍官的指頭
點去了一個人，

——31

四個老百姓，
六個「自衛軍」，
彭司令却從死網中漏走，
感謝老百姓，
（一句話說可以殺生！）
感謝那六個弟兄，
（一個顏色，一條生命！）
感謝那一身軍衣——
生命的保護色。

（十二）

（上略）
一個釘子
碰開了彭司令的聰明孔，
他明白抗日
是一條曲線的鬥爭，
這時候，敵人怕他又愛他，
給了一個維持會長做牢籠，
把他拉到了自己的懷中，
（拉去的是身子，
拉不倒的是心，）
彭守成，
覺得身邊生滿了荊棘，
以前，是用槍口去對槍口，
今後，是用心機去戰心機。
每個人身上穿了綠色軍衣——

裹著委屈的這一張外皮，
「皇協軍」的旗子厚著臉皮，
把三千人吹做一師。
槍還是原來的槍。
不曾給他們添過一支，
子彈也還是原來的數目，
不會多給添上一粒。
問起他們的薪餉嗎？
他們的薪餉是這個樣子：
士兵兩毛，官長加倍，
每天打點空肚皮不至餓死。
對於階級敵人卻大量，
三「星」兩「星」他滿不在乎
薪餉一次只發兩天，
像臨時僱來的短工一樣。
這樣還不算盡美盡善，
把三千人的家眷，
送到他們的附近，
算對「皇軍」表一個忠心。
第二天舉行檢閱大典，
來了幾百「皇軍」，一個軍官，
一個空場子行列縱橫，
機關槍給鑲了一道鐵邊。
軍官學著中國話，
像一個笨嘴的「八哥」，
他的話頭同眼前的機槍

有同樣的力量，
同樣在三千個心頭上
灑出了火光。
一張口
在講着「秋毫無犯」
三千個心
在反問：
「是誰『打擄』打得雞犬也不安」？
一張口
在講着「皇軍」對百姓親善
三千個心
在反問：
「是誰放火在老百姓的屋頂，
像火燒七百里連營？
是誰用繁多的花樣
把中國人殺死得最慘，
他却在一邊笑著好玩？
是誰用刺刀
挑一個幾歲的兒童，
連血肉帶哭聲一齊擲上半空，
刺刀的心都顫得戰慄了，
而他，却二次叫肉身落上他的刀鋒？
（這回，只見鮮血不再有哭聲）
是誰撕碎了
中國女人的衣衫，
睬開了衣衫包裹的肉體——

中國人的顏臉？
不是這張口裏
吐出的那幾個髒字：「皇軍」，
不是四萬萬人眼中的禽獸
穿起了人的衣冠？
這張口裏的話？
早有他們手造的事實作好了注解，
這些血的事實，
問這三千人，
那個不是
不但耳聞而且是眼見！
如果，幾句雕花的大言，
可以籠絡住人心，
那麼「膺懲支那」，
何用一百萬人作犧牲，
再加上毒氣和炸彈？

（十四）

像用盡心血然後下定的一個棋子，
敵人把他們安放在淮河北岸，
一邊是洋河——敵人的據點，
一邊是「皇協軍」的總司令部——黃家大院，
不左也不右，
三千個的生命
恰安放在一個「死眼」。
會掙扎在自己的鄉土上，

——39

但是，自己[illegible]地上生長着的，
不是挑起紅纓的高粱，
不是黃金眩眼的穀粒磨着風響；
荒地上到處拖延着綠草，
像是感情的長蔓，
像是大地伸出的千萬隻手，
向着它的主人在痛心的呼喚，
彎盤扎在自己的家鄉，
但是，再也聽不到
坐地砲，獨眼龍和許多弟兄詼諧的笑，
聽到的是他們妻母的啼哭，
聽到的是淮河的水浪日夜號淘，
這大塊黃土養育了他們，
今天，他們卻用七尺的血軀，
用手裏的鋼槍和長矛，
去保衛另一羣人，
這羣人，就是殺死他們弟兄的劊子手，
這羣人，就是搶去了這塊黃土的強盜！
彭守成時常困睡在費家大院
他倒在一邊
看張啓黃的漢奸臉（註九）
在鴉片烟霧中迷濛，
他聽着雲裏霧裏的鬼話，
口裏打應，心裏冒火烟！
他也去看川非
財政握在他的手中，

他也去看吉田，
吉田吝惜他手下的一張紙條，
憑着它，
可以去換槍，可以去換子彈。
他兩個是顧問官，
他兩個，
牽着傀儡身上的總絲線。
「你們中國人心大大的壞」！
川井像在說着話：
「我們中國人大大的好」！
彭守成，硬的話，硬的笑臉，
「我們『博羅』『博羅』的時候，你們……」(註十)
話不能達意，
吉田的右手向地下劃一個圈。
「中國人」，川井伸出了他的小指，
「大日本」！他又把他的大姆指一伸。
彭守成，臉上强鍍的笑色
已經褪淨
「我們中國人是這個！
一臉黑風，
他把大拇指高舉在頭頂。
「爲什麼欺我中國」？
「打共產」！
「爲什麼殺老百姓」？
「殺『游匪』」！
「爲什麼不去打俄國」？

═══87

他們的回答是啞默。
影守成了甚麼都忘記，
忘記了身上穿的誰的軍衣。
忘記了吃着誰家的飯。
忘記了三千條生命
握在那個手間。
這時候，他憑着鋼鐵的意志，
包天的膽，!
他，憑一張中國人的口，
對着敵僑作起舌戰。
話對話，
像針尖對麥芒，
口對口，
像以前陣前對壘槍向着槍。

（十五）

在一個戰爭的場面上，
他們被放在第一線，
在眼前數百米，
挺立着抗日的將士。
（心裏的朋友，
口頭上的死敵！）
身後列好了一挺挺機槍，
日本兵扳着機槍，
口頭上的朋友，
心裏的死敵！）

他們三千人
被夾在進退兩難之間，
就像他們
被夾在兩邊的槍口之間一般。
前面的隊伍
神鳥一樣直往前衝，
他們叫話語代替了子彈：
「中央兵學，請同志們衝向兩邊」。
直到刺刀晃到了眼前，
他們才叫彈子去打青天。
敵人不但用他們的肉身
去擋槍眼，
還想拿彭守成做塊香餅，
去釣一個游擊縱隊司令——程警天。
他知道他的威名，
他的厲害，
（從他那裏得嘗過血的教訓）
他知道有一條友誼的長線，
牽在彭守成和他中間。
彭守成全權使者一般，
出發以先向他的「總司令」去聆教言，
「俊傑一定能識時務，
功成全憑老弟的手腕」。
張啓黃送過來一個笑臉，
用親切的右手拍着彭守成的左肩，
陪他同去的一個偽參謀，

他是張啓黄一隻「眼」。
他們在小林店會面，
程醫天把衛兵全排列在一个部門前
過了一聲久仰，
楊參謀第一個先開了腔：
（以前『仰』的不是人面，
是槍砲和砲彈。）
「中央疑惑你懷異心，
這消息想早到了你的耳邊
另一個消息也許你還沒聽說，
汪政權已經快要實現，
這正是英雄造時勢的時代，
這時勢，正需要你這樣的英雄。」
彭守成在一邊打旁幫腔，
話，說假還像真，
說真吧，又有點不像。
程醫像天個外交家，
話頭八面全是浮光，
嚼着他的話味回頭，
張啓黄在它裏邊也放進去一個希望。
第二次會面
暗慫他取濟用
打遊先給軍費十萬，
最後又說：「中央要調你駐馬店，
安的什麼心你可以想見」
（中央的命令先呈給「皇軍」過目了的一般。）

一次兩次，
使者容易往返，
和露天的回答
都是留一個空間，
第三次，張啓黃約他來黃家大院，
正式談話，
預備參加的還有那兩位「皇軍」的顧問官。
人馬編成一師，擴大到八千，
說明見面禮是大洋八十萬元。
每次公開作一次談判，
就在那天，夜深人靜，
彭守武便在露天的密室裏出現，
他們談些什麼
可沒人知道，
除了照着他們的燈火，
還有腳下的后土，頭頂的青天。

（十六）

「冬季攻勢」勁風一樣，
給每個人的心來個希望：
淮河夜夜響着鑿冰的聲音，
爭傳着國軍作浮橋將攻打信陽。
敵人忙着打鐵絲網，
忙着挖防禦工事，
把幾百個士兵裝上火車，
開來開去壯自己的膽子。

彭守城，還有三千個弟兄，
壓在恥辱底下，
從長夏一直壓到嚴冬。
（這恥辱，
比蟻穴還厚，
這恥辱，
比泰山還重）
十二月十四號的夜間，
程潛天的手書，
遞到了彭守成的手中，
看罷了，付給火，
即刻帶起了三百個弟兄，
乘着冷風像箭，
乘着黑暗像炭，
乘着心像海濤，
他們撲到了黃家大院。
一個命令
叫起了四面的槍聲，
叫起了恥垢和仇怨，
它在每個心頭上淤積了半年
槍彈像戰士的心
爆裂在黑夜天，
手在戰，肉在顫，
忘記了生死的興奮與勇敢，
爬過一丈高的牆頭，
衝進總司令部的庭院，

（像兩[illegible][illegible]體一般）
捉住了參謀長，副官長[illegible][illegible][illegible]個偽軍，
還有那兩個顧問[illegible][illegible][illegible][illegible]，
一條大魚漏了網，
張學貫昨天已趕去了武漢。
（去對他的主人獻功，
說是已經爭取到了程滄天）
帶着這「一份禮物」，
回頭放開了快步，
右手裏槍響像落雨，
還是洋河的[illegible]軍來應援，
程滄天派出的隊伍把他截留在那邊。
回到營中天已破曉，
一輪朝陽笑在東天。
忽然想起「眷屬」還留在洋河，
每個人的清淚流出雙眼，
（一眼流着傷悲，
一眼流着狂歡）
撕碎了「五色旗」，
撒泡尿水在上面，
撕碎了佩在胸前的符號，
一片一片在脚下[illegible][illegible]，
整行裝，點人
時間飛在忙迫的指尖。
一聲號角拔起了營寨，
三千弟兄奔向了祖國的大平原。

==43

[illegible]機在空天排成一條綫

跟在牠們的腳後，

把經過的村子全都炸光！[illegible]

飛[illegible]一[illegible]拋下炸彈，

一面也投下了大[illegible]傳單，

傳單上大字寫得清楚：

「那兩個[illegible]給[illegible]，

不然，你們的將[illegible]，

你們回頭來吧，

加餉又升官，

士兵每天五毛

官長是一元。

看了傳單有的只冷笑，

有的大罵鬼子瞎眼：

「老子不再回去了

你就算一天給一萬元[illegible]」

彭守成，還有三千個弟兄，

腳扎了翅膀，

心也扎了翅膀，

十幾支號筒

也發了狂，

聽它悲憤地嗚咽的一齊吹奏了——

吹出了

一肚子委曲；

吹出了

酸楚的淚珠；

吹起了
心頭的火焰；
吹翹了
戰鬥的心，鋼鐵一般！
這號聲，
悠揚的
散在祖國的曠野裏；
這號聲
舒暢的
散佈在自由的空氣裏；
這號聲，
如泣如訴的
落到了鄉土鄰里的耳邊；
這號聲，
高亢的，勝利的，
落到了四萬萬人的胸懷裏；
這號聲，
遙遠的，遙遠的，
落到了全世界正義人士的心間。

二十九年四月十二日寫完。

註一：彗星之俗稱。
註二：諢名，
註三：含雨之雲下插，雨即立，俗稱此雲曰「雨腳」。
註四：雨將至時，風雲忽怒作聲，俗謂「雲嘯」。
註五：敵以麵做成大砲，虛張聲勢。
註六：敵用稻草人站崗

註七：蟬之一種，在每棵樹上只作一二分鐘之停留。

註八：敵稱我遊擊隊語。

註九：張啓黄僞皇協軍豫鄂總司令。

註十：跑也。

（一）

尖山，
五百尺拔起地面，
沒有草木
給它披一頭綠髮，
光禿的頭頂
要給青天鑽上個窟窿
不把峯巒
拉來做近鄰，
聳傲在信陽城西五十里。
使人望著它
像望著一個孤僻的人。
自從一隻魔手
把它攫去，
用慘酷的刑法
毀了它的面目；
天不亮，

——灯

就有一大隊人
來騎醒獅眠，
早晚等夕陽
送他們下山，
鋼鐵的鑿子
在它週身鑿洞
炸藥把岡塊
粉碎在半空，
丈八長的大砲
壓在頭頂，
敵人把信陽做個心臟，
叫游河，
駱駝店，
尖山的大炮，
做三個鼻孔
息息相通。
這羣人，
全是山下土地
養育的良民，
一個命令
硬拉他們从忙裏抽身。
家務，農事，那算了什麼，
「皇軍」的差役比死還要緊；
他們的精力
叫血汗流盡，
舉起鐵鍬，

落在呻吟，
一時不對準石頭出氣，
（青山彷彿是他們的仇敵！）
背上便落下火條的鞭子。
尖山脚下蹲一個鄉鎮，
鄉鎮裏開着「維持會長」的朱門，
他，半百年紀，
一臉詩書，
他有的良田，
還有男女老少一大家人，
這一切糾成了一條繩子，
鎖住了他的雙腿，他的心，
敵人託給他一個至高的信任，
覺得他是一個十足的順民，
大事小節他謹慎又謹慎，
針尖比不了他的小心。
一張紙條開四十個民伕，
他不敢把三十九個發去，
命令叫他們早六點動身，
半夜三更便差人挨家去拍門
他的兒子
是「人民自衛隊」長，
保衛的不是人民
是他自已的家鄉，
敵人手中的牽繩
却也拉不轉這隊人的心胸。

是芮踏着兩頭船，
他們同敵玩虛假的花槍。
我們的汝營長
也常出入他的家，
踏進大門
點個頭拳，
先拿「情報」作見面禮，
再用話頭剖自己的心跡，
（怕漢奸帽子貼上頭皮）
從他手裏取得「良民證」，
弟兄們挺着胸出入信陽城，
檢查的人雖問一千句話，
它便替人作了回答。
在這裏卻仿插一個故事，
故事的第一句是「有那麼一次」，
他正同汝營長
把酒論交情，
（另有還有幾個弟兄）
突然闖到了
大隊日本兵，
對一個他將
向這位軍官指點，
笑着把手一揮，
是叫人不要作聲，
然後，刁一支煙捲在口裏，
他要用舌尖去退敵兵。

身子下了地窖，
心像墜入了陷阱，
把鎗口一齊探到外面，
覺得會長的笑裏有刀。
會長轉過頭，
成功寫在眉梢，
他輕輕彈了一下紙煙，
它細白的身子並沒有縮短多少。
（這時候，汝營長
　把剛才的疑心變成了可笑）
傾盡了
壺裏的酒，
心底的話，
把汝營長送出了
自己的家，
他一邊揮手
目送他們走上東去的小路，
一邊派人去給皇軍送信：
『有十幾個「毛匪」過此西去』。（註一）

（二）

鐵爪的北風驅動了枝條，
像冬季攻勢的狂飆，
要把信陽撼搖，
就得先把
尖山這道藩籬拔掉。

汝營長，他受下了這樣的使命，
就像受下了一份光榮，
但，當他想到這責任的分量，
他的精神立刻彎下了腰。
像一個拿不定主意的人
到賣卜先生那裏去問卦，
他懷一顆沈重的心
跑到了「維持會」長的家。
兩個人說話，
牆壁並沒有牆變耳，
把話向汝營長的耳中輸送，
會長的嘴像一隻管子。
（一點聲浪也不叫它流溢）
他的心窩裏像密封着一條條妙計
隨時都可以抓過來應急，
最後他把拳頭一握，
好似成功已被他把捉。
第二天，晨風像猛虎
騎在黎明的背上，
二十個人，
雁行排在一條小[illegible]上，
早晨的原野 [illegible]
播音機一樣，
把他們的笑聲
播得那麼清爽。
嚴慶福，王富堂，

[illegible]眼瞼，
一付無[illegible]的[illegible]子
架在[illegible]的肩上。
小飯桌[illegible]麼[illegible]髒，
特爲他們做的一樣，
腳步那麼輕鬆，
心是風平浪靜，
像眞是[illegible]去了戎裝
換上了舊時的衣裳。
他們衣服上的破綻，
逃不開別人的眼光。
可是，在他們的行動上，
沒有一個朝這方面想。
（如果發現了這個秘密，
　倒可以同他們開個玩笑，
　抓去那頂[illegible]土爾其帽，
　看軍帽給糊上刻好的[illegible]）
只管[illegible]談，
只管打鬧，
他倆的眼光偶然相碰，
也沒有一個會心的微笑。
展慶福，從棉襖的油泥上
嗅到了二年前的生活，
那生活對他多麼親切
又多麼[illegible]糊。
燕趙的土壤

—58

生長了他，
他的血管裏
流着豪俠，
看他那副老實相，
你會說「老實是無用的別名」，
看他那樣靦覥，
在生人面前說話還臉紅。
你要笑他的心粗得像口[illegible]，
但有時卻[illegible]得叫人吃驚。
別人忽略了的小節，
他檢來存在心中
看他木得像一只木瓜，
（[illegible]臉了也像）
可是，你得佩服他的膽大，
他的心海上
駛得起萬噸的大船，
叫他去殺人
手不會打戰。
他是一隻綿羊
馴服又溫良，
當你逆着他的毛絨，
一翻臉他就變成隻虎狼！
他憑二十幾歲的年青，
抗戰一起，他便投營，
從娘子關打到大別山，
對着淮水的綠波

使他懷起永定河。
他不相信自己會死，
他只相信自己的勇敢，
（身子經過了何只百戰，
　生命不只須一粒子彈？）
他冒險的故事是一節奇文，
藏在心底只自己賞鑑。
要是看人以貌，
王富堂，屈慶福，
兩個形體像出自一個型模。
（王的臉上多了些粉刺，
　像一粒粒凸出的麻子）
如果把腦子割開來比較，
王的摺縐也許要多幾條。

（三）

這二十個給枯寂的郊原。
添一點歡娛，
背上的朝陽——
一個紅的火爐，
他們的腳
觸到了山腳
臉上凋謝了笑的花朵。
胸口，
像一口陰深的井口，
尖山，

——55

牢牢的懸在上頭。

繃住臉，

按住心，

向守將的「皇軍」

打一個屈身，

（自己的土地

　別人來做主人！）

他向每個胸前一瞟，

每個胸前掛一個白條，

（恥辱的符號！

他信手一揮，有意無意，

二十條身子闖入了禁地。

只有這一條小徑

通到山頂，

這一條小徑

像一個螺絲釘，

頂端，

老早就向人們打招呼，

路線把它左扯右掄，

故意不叫去和它接近。

腿肚子像墜了石頭，

（步步加重分兩）

額角上冒着白煙，

（像才揭開了一座蒸籠）

北風在背上助着臂力，

聽他呵呼的喘着粗氣。

展慶福立在高山頂，
他真想放開大嗓大喊發聲，
看一個個村落
像灰色的蜘蛛，
盤踞在 [illegible]
縱橫路徑織成的網中。
展慶福來到娘娘廟，
王富堂被引去仙人洞，
二十個人平半分開，
十個西南，十個正東。
娘娘像一位盛裝的嫁娘，
多少年來守着清靜，
今天，成羣的獸兵睡在身旁，
看他那個猙獰的模樣。
娘娘廟上插一支旗，
旗面上染著一團血跡，
展慶福真想把桿子拔掉，
將它撕成條，
　　撕成縷，
用手一團
去擦屁股。
砲台是一個大個的烏龜，
鋼骨水泥鑄成脊背，
嘴子裏探出條粗黑的長頸，
它會轉動南北西東。
奉命打水他跑去山泉

不稱餘剩個顧一的孩子，
（求什麼不帶一包毒藥）
一個又要他去挑千擔，
細眼的扁擔跳舞在雙肩。
監工的倭寇是一個青年，
說是監工，又像是在玩，
屈靈爾總想放下扁擔，
前去同他打爾一番。
他門前的那顆金牙，
一直在屈靈爾心上閃光，
（對它，他安一個希望）
有時，對着東方的藍天
他長嘆又歌唱，
這歎息，
這歌唱，
可能隨着西風吹過海洋？
短的冬天
轉眼就滑過，
你看夕陽
又向平地插脚，
浮雲把他們
送下山來，
不多不少，
恰好二十個。

（四）

第二天一大早，
天空像一面多年沒磨過的青銅鏡，
人影照上去
還朦朧不清，
四十個民伕踮着趾尖出，
忙着去給「皇軍」做工。
（他只要了二十個，
　另外二十個是自抱奮勇）
每個人的肚子
像懷胎九月的孕婦，
要脹破縛人的棉襖——
一張灰黑的肚皮。
每個人的肚子裏
包孕着三個手榴彈，
子彈二十粒，
另外，另外再加上手槍一支。
「自衛隊長」走在頭前，
叫行動說明他的忠誠，
口裏沒啣枚，人却是無聲。
一齊跨開了大步，
雖然沒有督促的命令。
他們闖近了皇軍的崗位，
這麼早來，他表示了驚訝，
懷疑剛要在心上抽芽，
一槍把他放倒在地下！

這一槍，
有衝鋒號的悲壯！
這一槍，
有震碎黑暗的力量！
看這四十個人：
狂奔，
急撲，
猛竄，
像同敵人作百碼競賽，
已經接近了黎明的終點。
（四萬萬個啦啦隊
立在他們的心間）
（自衛隊長
來一陣混亂，
用同樣的急步
逃下了山）
看他們的影子
漸細，
漸短，
（幾萬萬無形的手
作他們的攀援！）
像玩馬戲的人
攀一條繩子
向百尺竿頭飛的一般。
（萬目炯炯，
熱切關心着他的成功！

鑼鼓喧天，

為了他的冒險事業，

每作觀衆都把心兒牢關！」）

登上山，

四十個人

幾路分散，

王富堂去他的仙人洞，

展慶福二次來到娘娘廟前，

這邊響槍，

那邊響槍，

手榴彈爆炸在東邊，

　　　爆炸在西邊，

響聲結成了一條鏈，

穿起了黎明的時間。

睡在地上的敵人，

讓他們永遠睡在那裏，

（一場糊塗夢永久不再醒）

還有幾個正在站崗，

就叫他們死在崗位上。

（展慶福，向死屍堆

尋找什麼？）

太陽旗

真果撕成了碎片，

（罪惡，

被正義清算！）

尖山頂上

閃出了「白日青天」。
（尖山，
恥辱整整緊了它一年！）
槍不響了——
子彈已經打乾，
手榴彈也啞然——
手榴彈已經扔完，
也聽不到敵人抵抗了，
敵人躺在地上全閉上了眼，
恐怖，
死滅，
佔有了尖山。
最慶幸的四個弟兄
相對卻無言，
一股殺氣
他蹬在他們肩手之間
班長的王子
叫不回來的弟兄，
怕永不會再來到他們的面前。
這時節，
他沒有悲傷，
他沒有感嘆，
他的心在跳，
　　口在喘，
他明白，
這不過是雲樓裏灑下的幾個雨點，

告訴人：

寒風雨[illegible]跟着

[illegible]在後邊。

他們五個人

坐在幾[illegible]大炮的身前，

[illegible]廳然的俘虜

他們[illegible]！

[illegible]過一[illegible]鐘的工夫，

[illegible]拉開了黑的幕布，

[illegible]下，

[illegible]成了一個蛋，

[illegible]邊

[illegible]那邊，

[illegible]近，

[illegible]遠，

[illegible]他心理明白。

[illegible]增援，我們也在增援。

這時，

[illegible]生命的空虛，

武器

[illegible]了一支廢物，

炮彈打過來了，

從南邊，

從北邊，

從東邊，

他聽得出

—83

那是來自洛河，
那是來自吳家莊，
那是來自駱駝店。
炮彈落山，
山裂開嘴，
噴一口血——
紅烈的火焰。
飛機像一羣歸林的鳥，
尖山上沒有一株樹，
他們臨[illegible]的却在築巢，
翅膀底下
掉下一串串纍纍，
這是炸彈，
這是機槍。
毒氣催下人的眼淚，
毒氣要把人的呼吸截斷。
尖山身上千瘡百孔，
他的身子不住的痙攣！
戰爭正逗在勝負的頂點，
展慶雲，石頭一樣從山上滾下，
不是要從戰鬥裏逃脫，
一粒子彈奪走了他。

（五）

古舊的四壁
像一個陰謀家，
一聲不響

叫人害怕。
窗紙上的陽光
貼一片紅。
爐中的炭火，
時而劈剝一兩聲。
窗戶底下放一張牀，
展慶福他就睡在這牀上，
一牀厚草褥墊在身下，
鬆暖的被子蓋到胸堂，
另一個世界
在睡夢中安排，
等他從昏迷中
把雙眼睜開。
（天空比他的臉，
綳布是翼片，
眼睛像星光
在白雲縫裏亂閃）
他把眼光投向屋頂，
屋頂擺手說我們是陌生，
再把它轉向牆壁，
牆壁帶著一臉懇意。
他想大呼一聲
試一下是真還是夢
可是殘酷的怒氣
鎖住了他的喉嚨，
記憶

像游絲在風前。
斷了再扯起。
扯起來再斷，
當它結成了往事的網，
罷麼羅，他簡直要發狂！
他猛的掙扎着往上起身，
（身子底下像鋪滿了鋼針）
牀板下一陣呻吟。
一下子又把他按倒，
像鐵錘敲遍了周身。
他要大呼求援
（至少也可以壯一下膽！）
聲[illegible]也被作啞了一般！
千萬張口
在向他挑戰，
（用了頂辣的字眼！）
千萬隻手
指在他的眉宇間，
（侮辱到頂點！）
千萬隻眼睛，
像弦上的冷箭！
他的心在發抖，
　　手在打戰，
一個勇士身經百戰，
這時感到了孤立無援！
他需要一[illegible]手槍，

一柄刀，
有一條繩子
給他也好！
死於黑淵
他敢縱身去跳，
這恥辱的重壓
他擔負不了！
裏邊的房門嘩啦一響，
閃出了幾個白衣女郎，
房門還沒有來得及把口閉緊。
一粒金牙向他一閃。
看護的身子還沒到跟前。
先給送過來一張笑臉，
對着這羣「祖國的女兒」，
他閉上了一雙丈夫的眼！
（換藥洗創，
隨她們的便。）
太陽剛爬過半條窗檯，
幾個人忙着在開早餐，
精潔的盤碗往裏屋裏送，
把陣陣香氣留在後邊，
他的臉前也擺了一份，
兩碟一碗無厚無偏，
好似有意表示周到，
他分南北米麵兩全。
他對着這份盛饌，

遲遲不拾起筷子，
說不定飯裏撒了毒藥，
他的心裏在這樣狐疑。
端起碗來大口抓米飯，
忽然他的心機一轉，
如果飯裏眞有毒藥，
那不正合了自已的心願？

（六）

慢慢的藥石
把他的創痛解除，
時間的針線，
把破碎的神經縫補，
心，剛從迷惘中逃開，
回憶又虛追追過來！
腦海像一面雪亮的鏡，
往事紛紛[illegible]上個背影，
尖山，
移到了他的眼前，
赤身露體
一點也不靦覥；
耳朵裏接著響起語音，
這是王富堂同他交談；
離奇的向他走來，
那四十位生死的傢伙，
炸彈大砲的聲響！

要把他的記憶繃斷！
回憶的絲
拉過來大別山的夏天；
撒一頭白髮，
蝕子關投給他一個蒼顏；
殘燈白髮留戀着深更，
一個老婦闔不住眼睛，
她在念想她的獨子，
把他牽給了一路福星。
記憶捉換着展慶福，
使他淌下了淚，
（淚，對他是多麼珍貴！）
接著又用溫柔的手，
慢慢的把他推入了沉睡。
一個土台子開向南面，
台子上立着威武的師長，
他在向全師的弟兄訓話，
他們就要出發去打信陽。
「我們要用個人的血肉，
去換取民族的生命」……
師長把拳頭一揮動，
（一拳要把敵人粉碎）
一雙眼瞪得萬衆無聲！
「就是萬一碰到不幸，
死也要死得帶點響聲！」
話聲好似暴雨將來的悶雷

069

人人臉上刮的黑風。
嚴塵隔激昂得身子一聳動，
一聳動，他跳出了夢境，
那萬人的行列
那長的營容？
全不見了，
他空睜大着一雙眼睛，
（他的心在狂烈的跳動）
眼前另換了一副景象，
黑暗擁抱着四面鐵牆，
水壺在爐火上
細語滔滔，
風的冰手
摸得窗紙吱吱亂叫。
臉前裏
沒有亂動，
只有靜，
在靜靜的牆角裏，
埋伏着萬馬千兵。
（把他困在當中）
從紙窗縫裏
向天空仰望，
天空裏白雲，
正追着月亮
眼看白雲捉住了她，
一轉眼却又把她釋放。

紗窗上曙色剛悄然來臨，
一個夢又把人度到黃昏，
日子在模糊裏來去，
夢和眞界限不分。
他望著一隻蒼鷹
在千尺高空翻翔，
海樣的長空，
雲樣的翅膀，
眼光緊追著這自由的影子，
像探照燈不放鬆敵機一樣。
（它的翅子，
引起了他的幻想）
眼光剛剛跌落，
一支太陽旗在風前獵獵飛揚。
（向他示威，
又像向他招降。）
十幾個姑娘
像十幾朵花，
慰勞的禮品
提在手下，
花枝在他眼前一招展，
一齊開到了病房裏邊。
（香氣滿屋飄逸。）
歌聲起了，悠揚又婉轉，
像花間的羣鶯在歌頌春天，
歌聲抓住了他的耳朵，

他恨不能去抓破那每一張臉！
他聽慣了
女同志們救亡歌曲的聲音，
（大刀向鬼子們的頭上砍去，
衝啊，衝啊，殺！）
這羣狗東西却用歌聲去媚敵人！
他看慣了女同志們在火綫上來去，
而這些臭肉却在出賣她們的靈魂！
她們來到了他的牀前，
手裏的旗子捲起了顏面，
每個人紅着臉張不開口，
羞愧，怨恨，占了這段時間，
她們去後，
他嚼着糖塊和餅乾，
心裏的苦，
正像口裏的甜。
心機突然一轉，
他給了她們一個曲原，
也許她們有苦說不出口，
也許她們用另一種方式在救亡，
他還給自己舉了例證：
「展寰輻自己不就是這樣？」
他正在反復的斟酌、
砲聲把他的思想打斷，
猛的立起了半個身子，
向着空中他揮起了拳。

黑暗的夜
像漆過了一遍，
他上下眼皮
急烈的作戰，
那裏的呼聲慘叫，
像刺心的針尖！
（叫的夜在抖顫！
一回高起來，
向天求援
一回又跌下來，
像一條絲絃，
從這呼聲裏
聽到了響的皮鞭，
從這呼聲裏
嗅到了辣椒麵，
從這呼聲裏
看到一個人皮開肉綻
他閉上眼睛，
咬緊牙關，
彷彿在用全副生命力
去承受這無情的皮鞭！
（他情願敵人對他這麼幹！）

（七）

北風像鐵鍬
揚起一天雪花，

靜靜的病室裏，
聽不到個人來說話，
每天換藥的時間開一次口，
他擔心自己會變成個啞吧。
他又打開了記憶的畫冊，
這畫冊的頁子已被他翻碎，
他想起冰鋪的戰壕裏，
手脚都凍僵，
一堆柴火
多少人圍擁着去烘衣裳
（那可愛的火光
、把人臉烘得「關爺臉」一樣）
又從白雪想到春花
戰地上桃花血一樣紅，
追擊的馬蹄快過東風
他想着，神色正黯然，
（有時發出一聲自嘆）
一個人影蹿到了他的床前
（像地裏鑽出的一般）
一身破長袍大帶腰間紮，
雙手亂拍打身上的雪花。
你不要把這人當做別個，
這是他的戰友，王富堂，
帶了良民證喬裝來探望。
他一下子坐起來，
像沒有了創傷；

大聲的說笑，
言語間毫不設防，
（忘了置身在甚麼地方）
他搶着來發問，
不等別人開口，
還椿後問到尾，
又拾起了那椿的頭。
（王富堂成了一口鐘
他扣一下，他響一聲，）
從尖山問起，
（四十個上山
僅七人生還。）
問到信陽的戰事，
（聽到車站曾一度衝刺，
他興奮得身子暴跳！）
問師長，問弟兄，
問他們現在何處紮營……
伙伴的回答，
有的使他驚奇，
有的使他歡喜，
有的使他悲傷，
也有的使他嘆息
他知道師部駐紮在「桑園」，
他知道自己的身子是在「駱駝店」，
他明白了那一夜的慘叫，
是「皇軍」懲罰那個「維持會長」——

他曾獻計攻打尖山。
當他聽到師長對他的關心，
覺得再也不是孤立無援，
反過來他把自已的生活，
向王富堂數聒了一遍。
細米撥糖，
也不怕聽的人厭煩
「鬼子拿我當了豬羊
想宰你，却先喂胖。」
「不會宰，心放寬點
他留着你有更多的使喚。」
王富堂走了，
帶着展慶福的心，
把他生活的枯寂
陷得更深，
他第二次再來，
是在臘尾，
他說師部已移到「邢集」，
說笑玩鬧並沒有兩樣．
但王富堂早把個疑心安在了展的身上。

（八）

嚴冬已經走開
鳥聲又把春天叫來，
展慶福這一隻負傷的鳥兒，
今天他也長硬了翅子。

早晨，春光在窗紙上跳躍，
喜鵲在枝頭上亂叫，
他正望着高牆
鬱悒徘徊，
皇軍代表帶著慰勞團
一齊到來，
一回歡聲，一回輕語，
「米湯」向他的耳中灌注，
「皇軍」今天要送他出院，
給他送來了一份禮物，
（一紙偵探證，
　五十元紙洋。）
還不是「皇軍」的大量，
這是他的奸險，
放出去的縱然不是個偵探，
至少也是一個宣傳員。
大步跨出大門
（生的門檻），
陽光刺得眼痛，
春光是舊相識，
親的撲了一懷東風。
看看柳色，
（楊柳生着青眼）
看看每一張臉，
（用親熱的雙眼）
望望原野，

（原野上小草開始蘇生）
望望尖山．
（它一點沒改舊時的容顏）
這一切，
他都熟習，
這一切，
他全感覺到新鮮。
一個人走在路上，
不，不是走，是跑，是跳，
像一個小鳥撲楞楞學飛，
當它剛剛長全了羽毛、、
悲亡歌子在他口裏響
起先是哼，後來放開嗓，
唱，還帶着手勢，
他在指揮歌詠一樣。
這個歌還沒收尾，
別一個跟着接上，
他唱，唱得要發狂，
頂好不再走，
叫手腳變翅膀。
（他願意叫全世界上的人們，
都知道他的解放。）
他跑到「邢集」，
「邢集」給他了當頭一棒，
師部不曾在這裏駐過，
王富堂的話裏有花槍。

（他開始明白，
　人家早已對他提防。）
終於找到了師部，
費盡了百計千方
見不到同連的弟兄
見不到王富棠，
他們已經開往前線，
二次去取信陽。
（快樂掙脫開他的心胸，
　落寂塡補了那個空。）
師部門前的衛兵
用槍指住了他，
眼盯着他的服裝，
就要動手來檢查，
他背過了
自己的姓名和歷史，
才放下了那毫不要人的槍支。
他立在師長面前，
一張苦臉對一張笑臉，
苦臉上有一雙眼睛在打探，
想從臉色直探到心肝。
「聽說敵人待你很好」，
師長第一次先發言，
「爲甚麼又放你回來」？
不待回答話頭又轉了彎，
「敵人對我眞不錯，

　管我飯食還給我衣服」……

話頭正要往下接續，

嗚咽卻搶著把它奪去。

「他還給了我一張紙條，

　另外還有五十塊錢。」

他把紙包扔給了師長，

忙著用手擦鼻子揉眼，

師長拾起紙條看罷又放下，

說聲：「好，將計就計，

　你再回去作反偵探」。

聽了這話他放聲大哭，

（像一個孩子在母親臉前）

哭出他的一肚子沉冤。

「師長肯饒我，

　情願幹個三等兵，

　槍斃了我吧。

　這個任務我是不能幹！」

他用了染着涕淚的手，

把那個紙包撕個粉碎，

然後揉成一個蛋，

拋在腳下用力的踏踐。

「好吧」，師長向他一揮手，

接著下了一個條子：

「尖山之戰有勇有智，

　上等兵展慶福着升下士。」

（注　，敵呼我游擊隊曰「毛西」

敲

（一）

六月天的大道
像一條黃蟒，
給太陽的毒箭
射死在地上。
漫坡高粱
也悶熱不過，
把綠的舌頭
垂三尺長。
原野的碧海上
沒一絲風浪，
聽不到一聲鳥——
鳥兒都到綠葉裡去綠藏。
草阡上
也不見一頭黃牛，
黃牛
去戀柳樹的蔭涼。
（不見一片烏雲

[illegible]青春）
太陽像一個權威
高高在天的中央，
（吐着悶人的絲光）
照着一大隊人
在道上拉幾里路長，
脚板，木鍬一樣，
揚起了塵土，
塵土，
也懶得遠颺，
無力的在人身上
打一個迴旋，
便又紛紛的
息落在道旁。
這羣人，
數目不下一千，
黑白難辨的汗褂上
一行黑字標出「營」「連」，
他們有着彷彿的年齡，
（都是年輕力壯的壯丁）
他們有着同樣的身分，
（昨天，全是農民）
他們頭頂一個運命，
（鄉土淪陷了，身家任憑人！）
只有被「抽」的花樣不同：
多[illegible]過「聯保」的鬼門關，

纏綁，索綁，
監閉，餓飯，
自救不是一個囚犯！
有的，在生產的崗位上
便被拉走，
比方你正在鋤地
他叫你放下鋤桿；
可見過黑夜裏捉雞？
一雙手把住雞脖，
有的就是這樣被捉來，
當他們的身子還在夢裏。
他們丟下了
血汗灌澆的田園，
（田園上，穀旂「秀」，
高粱比人高一頭）
一家骨肉
生生被拆散，
誰也忘不了，離去時候的
那哭聲和淚與！
可是屠刀在手的日寇
這一些與他無干，
汪精衛跳舞在敵人的刀尖上，
帶着骷髏作成的項圈。

（二）

他們的破短褲，

—83

他們的白布衫，
打着汗斑，
印着灰圈，
油膩的細縫插進布紋，
那樣的貪婪；
就是沒有風，
臭氣
可以噴幾丈遠。
有的腳趾上
綁一雙草鞋，
長途把它
磨成個光板，
有的把赤腳踏上熱土，
像炮烙之刑一樣難堪！
（腳掌一沾地，
　眉頭便吊起！）
光禿的腦勺上
像灌着油湯，
低着頭，腳步散亂，
勉強排成行，
他們這樣的蠕動着，
　—　蠕動着，
火裏的虫子一樣，
走呀，走呀，
一步步去接近一個「絕望」！
他們走在路中央，

一連餓軍擠在兩旁，
一支鞭子
趕千百隻綿羊，
餓軍手裏
是長槍。
你要撒尿，
他罵你是尿桶，
你要屙屎，
他罵你是糞坑
帶着嘲諷
他陪你同去，
槍口對準人的當胸，
時間才不過一兩分鐘，
「提上褲子」！
他發下了命令。
有人借這個時機逃了命，
（丟下了一陣槍聲）
有人，死在這個時機當中，
（他叫屍體作榜樣
　去警告羣衆）
拿着性命作一個孤注，
生，死，全看幸與不幸。
連長騎一匹火紅馬，
一支短槍貼緊左胯，
軍帽的舌頭翹向天，
（看他那副漢奸臉）

皮帶不束，却叫它擺舞在腰間。
他，時而左奔，
時而右馳。
（驃悍像他的威風；
墮落像死人的呼吸）
剛才，還見他走在後邊，
一轉眼，他又出現在隊伍的頭前。
他忘了
自己是一個奴隸，
（良心成了化石）
在奴隸們的臉前
他擺出了「主子」的架子，
他要把這一千多人
踏在自己的腳下，
（對待手下的老弟兄，
他也毫不客氣）
穩穩妥妥的，
從「信陽」趕到「新集」。
（到那裏去訓練，
那裏插着汪精衛的「杏黃旗」）

（三）

徐鐵蛋——
一身筋肉像鋼鐵，
鋼鐵裏下硬[illegible]的靈魂，
媽媽替他取了這樣一個乳名，

二十年前他誕生的早晨。
（算命先生說他命裏缺金）
他有淚，
書本對他却無緣，
手掌上的繭皮
叫鋤桿磨成了「崗子」，
徐從順，
聯保主任賜給他這樣一個學名。
他對這名子十分陌生，
點名點到他的時候，
挺直的站着不知道答應。
（別人推他一把
　他還直發楞）
他三世單傳，
爲父的都是早死，
好似受不了生活的重負，
把擔子早些交卸給兒子，
你願意知道他的家庭，
可以給個簡單的說明：
一個六十歲的老母，
一個十八歲的新婦，
（提到她時，
　他滿臉緋紅）
大路一旁搭幾間草屋，
賣紙煙，賣小吃，……
從過路人的口角下，

撿一點飯食的渣子。
（再往上推上一年，
　他的家在另一個鄉間，
　那個鄉村貼近公路，
　日本兵一把火把它燒完）
徐鐵蛋、
他沒有胆
有一顆可憐的心，
他怕大風，
他怕日本人，
（他還恨！）
想不到今天，
「二尺半」就要加身。
他走到隊伍當中。
（腿，像抽去了筋）
走上了自己的鄉土，
一切都是親切，熟習，
而心却跳得呼吸追促。
（遠村，近樹
　爭着告訴他家的距離）
望望碧海似的高粱，
微風在海上吹起波浪，
想去年今日
身子沒入這碧海深處，
一絲不掛，
衣服勦個精光。

看到穀穗
在風前嬌羞的低頭，
他心中念一聲：
「六月六看穀秀」，
聽到蟬在高枝上叫喚，
像要喚回他的童年……
回憶的絲
絆住了脚，
平晚給托子觸到了身上，
這才從白天的夢裏掙脫。

（關）

夜，把還受難的一羣
安插在一個莊村，
一班人塡塞在一間屋裏，
然後叫「鐵將軍」把門，
這樣還恐怕有個萬一，
外邊再站上兩個僞軍。
屋子裏，
有囚牢的黑暗，
屋子裏，有地獄的陰慘，
十幾個人擠在地上，
像火鍋裏的一個肉團。
蚊子在耳邊擾亂，
汗水在背上決流，

疲勞叫人睡眠，
魔鬼的梯子硬撐住雙眼，
身鋪草蓆，
手搖蒲扇，
向那裏去找
果園上的那個夏晚？
談話開始了，
可惜沒有香煙，
話味是辛辣的，
沒有笑聲雜在中間。
『身在外，
　心在家，
　家裏撇下了一枝花。』
傷心的曲調
展開了翱翅，
最後落到了
「鐵蛋」的心裏。
夜，
也爲悲傷所感染，
停下了步子
儘在遲疑。
『瞅空就逃命，
　誰給鬼子去當兵！』
低促的話頭像彈子，
從這個口裏
打進那個耳中。

一個傳一個，
誰也不留下一個字，
就像接力賽跑，
忙着去接受那條棒子。
「鐵蛋」接了話，
又把它送走，
家的影子驀然一閃
接上來的是一團血肉！
（叫你逃走）！
啪，答，啪，——
槍托子扣著窗戶打戰，
這是警告他們
快些睡眠，
脚步聲
把人帶遠了
「鐵蛋」的心
像亂彈的絲絃。
第二天窗紙剛透明，
淒厲的哨子把人叫醒，
（東一聲，西一聲，
　哨子發了瘋）
不知這一夜怎樣的磨過去，
朝陽又給他們
照出了個茫茫的前程。
『報告，我要解手』，
『報告，我要大便』，

——91

像一羣麻雀
睜睜開眼，
嚇嚏得兩個僞軍
手忙脚亂。
鷹眼底下的兔子一般，
通的一聲，一個人翻下了牆垣，
一個兵緊追上去，
槍空響了一陣，
茫茫的青紗帳
那裏去找人？
有三四個
憑着斗胆逃跑了
乘一陣混亂，
剩下的一支槍
空做威風給大家看。
（逃跑的人們
　像故意欺服它的孤單）
徐鐵蛋，望望臉前的四尺短牆，
望望僞軍手裏的那一支槍，
腿打顫，心也打顫，
他終於隨着喲聲
排入了大隊的雁行。
大隊的旁邊蹲着三個人，
一條繩子反綁着他們，
（像一雙肉的翅膀——
　兩隻手剪在背上）

頭，深深向大地垂下，
像正午時分的「朝陽花」。
他們的心却很堅強，
沉默就是[illegible]力的反抗！
不畏怯，
不哀求，
去碰命運——
憑一身硬骨頭！
（大丈夫敢作敢當，
有這樣一種氣概在臉上。）
一個班長走攏了來，
一脚一個把他們踢倒，
（像一隻狗）
「逃走由你；
　抓回來由我」！
口裏駡着，
腰裏掏出了一柄小刀。
抓過一隻耳朵來，
嚓的一聲穿一個洞，
（聽不見叫聲，
　只看見血紅！）
兩隻，三隻，
照樣的情形，
然後用一條小繩
穿過那三個肉洞，
用力一拉，

—93

（三個頭
　向一邊傾斜）
他顯得那麼從容。
（叫人驚佩他
　殺人技術的高明！）
好似不滿意這三個犯人的沉默，
又在他們身上踢了幾脚，
這才提起了手裏的繩，
繞過大隊，
用鮮血去示衆。
（三個人身上
　射滿了眼睛。）
徐鐵蛋，從開始看到收場，
這悲劇定住了他的眼睛，
他的臉色像秋雲的變幻，
這變幻全都配合着劇情。
望望刀鋒，
他摸摸自己的耳朵，
看看紅血，
身上的皮肉覺得發痛！
砰，砰，砰，
一連三響槍，
大隊開始移動了，
三個死屍橫在路旁。
（等候有人來展覽）

（五）

大隊拉上了路，
昨日的生活又翻到今天，
黃塵，古道，
毒陽，臭汗，
多少傷心，
多少追念，
多少憤恨，
多少長嘆！
一條沙河攔在當前，
不深也不淺，
滾滾的清流
吞到人的胸間，
隊伍把頭攏到了對岸，
腰身在水裏，
拖一條尾巴
在河的這邊。
在紛紛渡河的時間，
槍聲鎮住了騷亂，
情形就不用問，
又有人乘機逃竄。
（死，它征服不了
　求生的慾念！）
鞭下的烈馬
起伏着火紅的波濤，

══95

像要找出想逃的人。
連長的眼睛在人羣裏打探！
又有兩個被縛起來，
這四隻耳垂上沒有穿洞。
一個班長做了押解員，
口裏還聒着重大的罪名：
『他們怕是大奸細，
　鼓勵隊伍把官長殺死，
　到了地頭剝皮點天燈，
　「斃」了他們都太便宜！』
沿途有西瓜
孝待「長官」，
（當兵的也乾饞）
而這一千多個罪人，
全身的水分蒸溜成汗。
一個個口焦，刺尖舌面，
肉體要自焚的一般！
他們要求一口冷水，
得到的回答是「有意搗亂，」
借了這小題目，
連長大發威嚴：
『我手裏握着生殺之權，
　高興叫誰死，那很簡單！』
從此，渴死了
也沒人敢再嚷吵，
從此，十步八步
就有人栽倒！

（活該你死了！）

一個老太婆

迎候在道旁，

迎候着隊伍——

迎候着一個希望，

手上提一個破爛的布包，

布包裏包一點「乾糧」，

不盡鬱悔一張臉，

她開始向人羣探望，

大隊像浮雲

飄過他眼睛的星光。

『拴子呀，拴子……，』

她喊起來了，招魂一樣，

聲音投進人海，

不給一點反響，

一個偽軍

同她開玩笑，

『說不定已經「敲」了，

　後邊死屍堆裏去找！』

可是，這話不能打動她，

她立在那裏已經僵化，

隊伍拉斷了她的視線，

希望

把她從萬丈的高峯扔下！

（她用兩滴老淚

　葬埋了自家）

還受難的母親的面影，
在一千多個心幕上放映。
還受難的母親的喊叫，
時遠時近響在每一隻耳中，
她，是還眾「囚徒」母親的化身，
他們對着她，
托出了一顆「人子」的赤心。

（六）

眼前的景物
告訴徐鐵蛋，
離他的家
已經不遠。
『前邊就是我的家，
　班長陪我到家一趟。
　只須一刻，只須一刻，
　家去探望探望老娘。』
憑他的懦弱性，
憑他的老實相，
班長把頭一點，
批准了他請求的「狀」。
你說他一定歡喜若狂，
他的心却不是這樣，
他覺得有點害怕，
心上紛紛的馳來了幻想：
老娘在木板上揉麵，

妻子坐在皂旁，
不，她在向一位客人
探詢「壯丁隊」的消息，
仰着臉坐在那條長櫈上。
一口黑棺材停在房中央，
一盞小燈閃着淚光，
嗚咽的哭聲是妻子在守靈，
紙灰落滿了她白的衣裳。
也許一步闖到家門，
那兩間茅屋已經無存，
向那裏去問家人的消息，
滿地都是火燒的餘燼！
幻想戲弄着他，
遲遲的不願意向前，
意外的歡欣接近了他，
他，害怕向歡欣去攀援。
然而，幻想餓死在公實的當面，
他立在了老娘的臉前。
（妻子像一朵嬌花，
　在歡喜的風前把頭垂下）
老娘一邊拉櫈子
請班長落坐，
（用衣襟一擦）
一邊拆開了
大號香煙一盒，
『怕「官長」餓了，』

她吩咐兒媳
去取油餅，
接着又自怨[illegible]說：
「唉，忘了，天氣這麼熱，
　應該先吃個西瓜解解渴。」
身子，旋風一轉
跑去了門前的[illegible]攤，
撿了個頂大的抱起來就走，
也不問一聲要多少錢。
瓜片剛送到班長的手裏，
她又請他再換一支煙，
問罷了尊姓大名
家鄉和住處，
挖盡了所有歡迎的話，
一古腦堆到了班長的面前。
「自從這孩子走出家門，
　他帶走了我的一顆心，
　請班長格外照顧，包涵，
　看他的樣子儍得多可憐……」
話頭剛放下
拾起來又說：
「這孩子從小就沒有父親，
（像別人對他的身世多關心）
　二十多了，沒離開過家門」
班長有兩個嘴，
也應付不了她的[illegible]手，

班長有四隻耳朵，
也應接不了她漏斗的口，
母子三句話還沒說完，
（半天找不出一句話來，
　話頭都叫淚水沖走）
班長立起身子來要走，
（像限制囚犯接見的時間）
眼淚也不能把人留住，
鐵蛋去了，他沒有回頭。

（七）

大隊到了「新集」的廣場，
六月的晚風送來點清涼，
隊伍像一道粉白的垣牆，
把連長圍在中央。
『奸細們，小心了，
　我知道你們在隊伍裏潛藏。』
（鐵蛋的心亂撲通，
　耳邊又響起了那夜的話聲）
說完話，他下了命令：
把那兩個「犯人」當衆來開胸！
（一千多顆心
　一齊發痛！）
報數，點名，
給十分鐘的休息。
他們的周圍

人[illegible]亂哄哄，
有的給他們的親人
送來件汗衫，
有的給朋友
贈送[illegible]零錢，
『你們辛苦了』
有的這麼慰勞[illegible]句，
『心苦命也苦啊！』
[illegible]答[illegible][illegible]上塗滿黃塵。
隊伍把黃昏
帶[illegible]了一座古廟，
大殿裏的黃昏
[illegible]外[illegible]
門外傳[illegible]來要[illegible]命的聲音
夜的毛手
摸挲在人的心間。
突然，
槍聲[illegible]醒了夜夢，
（不要誤會，
　這是被「敲」的是「連長」，
　不是壯丁）
鱉蛋帶着夢的尾巴
跑到了院中，
看看天空，
天空裏星光萬點，
不知是三鼓

還是五更，

只聽見

四下裏響槍，

滿院子腳步聲，

只看見

亂飛的人影

向門外亂撤，

徐鐵蛋，抓住了這個時機，

（再也不忍鬆）

搶出了寨子——

像拾得了生命，

他沒有走向回家的路，

他走向了相反的途程，

他知道，

五十里以外就是抗日的隊伍

他們在那裏紮住大營。

104

（一）

天主教堂的鐘樓，
怕沾染人間的紅塵，
縱身半懸空中
去攀蒼冥，吐漱着白雲。
它用高傲的眼
看周圍熙攘的人羣，
（罪惡的化身）
看紛擾的街巷
像伊甸園裏的那條蛇，
化生世上來誘人。
看漢江的水
洗磨着青天。
看天邊的峯頭
坐鎮這大塊平原。
把鐘樓的尖端做個頂點，

用視綫的長度畫一個圈，
圈在這圓圈以內的人們，
對它都懷着一顆懼心。
走在街上的人
像被魔棒警打，
會突然停住步子
向他仰望一下。
鄉下人進城
到了城根，
也得先對它仰仰臉，
對它仰望，
對它關心，
並不是對於久別歸來的飄零人
它最先搶着送給他一個相親；
也不是因爲它是一個標號，
告訴陌生旅客
到達目的地的那種舒心，
是因爲裏面的一口銅鐘，
做了幾十萬人司命的天神。
這警鐘第一次開口，
人們便丟了靈魂，
和平
變成一陣子騷亂，
騷亂過去，
接過來的是死的寂靜。
（像魔鬼念了一個符咒，

人間立刻另變一個情景）
第二次鐘聲
把敵機叫到了當空，
一個個沈雷，
一片片火光，
一聲聲悸動！
它頂着一支護身旗子，
站立在災難的圈外，
不動一點顏容。
飛機傲然的飛去，
帶着慾壓的從容
這時，又臨到它，這口銅鐘，
用和平女神的溫柔
招呼那些造孽的人種：
從十里郊外，
從枯墓裏，
從土洞當中。
叫回來的人，
多少用死別重逢的歡欣
走進他們的家門；
可是，又有多少，
出去的時候，
幸福還在和他爲鄰，
回來的時候，
已成了無家可歸的人，
（幸福化成了灰燼）

（二）

鐘樓上
也發出另一種音響，
那是「禮拜」早晨
向全市人民散佈的福音，
這福音，
是發自大鐘身邊的那口小鐘，
災難和幸運
永遠是近鄰。
基督的「愛」
藉着這飄揚的鐘聲
鑽入善男信女的耳鼓，
最後盤居到
他們信心結成的巢中。
信心開始催促他們
從不同的命運，
　不同的身分，
　不同的工作裏動身，
動身去響應主的招喚——
到教堂裏去聽他的教訓。
不必把守在教堂的門口，
從大街小巷，
從四面八方，
從雜亂的人羣裏，
你就能指出：

那個老嫗，
那個少女，
那個男子是一個教徒。
這不是憑：
那一身黑大衫，
或是那本燙金的經典，
單憑他們的臉子，
你就可以作出無誤的鑑定。
斷續的鐘聲，
歡迎着斷續的人羣，
像從地獄跨進天堂，
他們進入這[illegible]的大門。
大門以裏是平等的世界，
每個人頂着「主」的恩光，
華麗的衣服
[illegible]不[illegible]襤褸，
用眼睛去讀聖經的人，
也不會笑別人
只能用耳朵去聽。
神甫立在神台上
比羣衆高一等，
（偶像都是由距離造成）
「主」的精神附上了他的肉體，
從莊嚴的情態中
也使人感到仁慈。
『死在炸彈底下，

——109

　　死在戰爭的災難裏，
　　都是前世罪孽的種，
　　今生結成報應的果子；
　　飛機在頭上
　　也用不到慌張，
　　念着「主」的名字，
　　凶惡立化吉祥，
　　人間的罪惡是一團亂麻，
　　戰爭便是上帝的鐮刀，
　　炸彈一點也不盲目，
　　它專找罪惡扎根的地處」。
神甫把鉄的眞理
打進懺悔的心靈，
爲了這可憐的人類，
他向「主」祈禱和平。
（用了憐憫的神色，
　一縷顫微微的低聲）
『主啊，你在天之父！
　把戰爭從地上收回去吧，
　看你的兒女們
　是怎樣小胆，
　　怎樣可憐，
　　怎樣發抖
　　　　哭泣
　　　　流血
　　　　死亡

在戰爭之前！
主呵，用你那永遠睜着的眼，
看一看這血肉紛飛
腥臭不堪的人寰；
主啊，把凶殺的心
從好殺的胸膛裏取去吧，
對於你的兒女該不吝惜你的憐憫，
主啊，我們是可憐的羔羊，
你在背後執着皮鞭……』
沒有一個敢作聲，
沒有一個敢動作，
心泉裏湧出的淚珠，
都被這抖顫的低聲振落。
沒有一個
不是深深的關閉着眼睛。
沒有一顆良心
（眼淚剛洗過）
不是潔白晶瑩，
你可以把它交給上帝，
去劈開每一個血淋淋的心胸。
神甫的聲音
起先是怨慕，
接着是控訴，
最後抖顫的一綫，
在低咽中死去，
這時候，無聲的聲音

==111

環繞在羣衆中間，
眼淚在下雨，
整個教堂裏塡滿了嗚咽。

（三）

這神甫的名子
叫做愛華，
卅年的中國生活，
送給他一口湖北土話，
他愛吃中國飯，
愛穿中國的長衫，
他說他愛中華
勝過愛他意大利的老家。
他愛中國人民的
那份純樸，
那善良，
那忠實，
那吃苦的精神，
世界上再也找不出匹敵。
他有肥沃的田地
在漢水的兩岸，
在穀城，在石花街，
有屬於他的一片片荒山，
有成千的老百姓
替他勤苦的勞作，
按時把租粒送上門來

從來一粒他不會短缺。
大批印子錢
放給一般窮苦的人，
他會叫金銀化生，
他會在錢眼裏翻身。
他是地主，
他是債主，
別忘了
他還是敎堂的神甫；
他把敎堂
分生在許多地區，
他把數不清的良民
造成他的信徒。
他手裏
握着聖書，
他手裏
握着賬簿，
他手裏握着千萬人的靈魂
和生命的契符。

（四）

戰爭這就來到，
敵機先來報導，
投下一顆炸彈
就是投下一個警告。
每次敵機迴翔在空際，

總有信號槍彈
鳴飛到天上
去報告祕密；
今晚還要
落下一顆將星，
敵機一定來炸，
甚至等不到天明；
彈藥運輸，
軍隊調動，
飛機沒一次
不是追踪，
可是誰也不會相信，
敵人會長着千里的眼睛。
想叫人家不知道這事實，
除非這事實不會有過，
祕密不能永遠是祕密，
除非它被製造出來，
那製造的人，
馬上就死去！
警備司令部的偵探
穿上了便衣，
到處去嗅探——
用警犬的鼻子。
不幾天，大街中心
封閉了一家照像館
它的主人，王恩光，

就是一個漢奸。
皮鞭抽出了實情，
良心的鞭打
比皮肉更痛，
第二天，
谷城，石花街，
派去了兩隊偵探，
第二天，
警備司令部的參謀長
沒病卻入了天主教堂的醫院。
他和愛華神甫黏得很近，
他說病像魔鬼纏住了他，
他想叫自家
沐主的神恩。
他端詳了
教堂的每個部分，
但是沒有一條線索
可以叫他沿着去探尋。
深夜裏，
庭院的地下篩滿了花影
深夜裏，
神甫的高樓上還亮着明燈，
他的耳朵
可聽不到什麼動靜，
仰臉向着天空，
想把祕密去問羣星。

第三天下午
他蹟出了教堂的鐵門；
他又打轉回來見神甫，
在第四天的早晨。
這次前來
叫他大吃一驚，
夏布長衫換成了軍裝，
兩肩金綫釘着三顆金星。
（背後跟着幾個掛槍的弟兄）
這青年軍官直達了來意，
說漢奸的口咬住了他，
王恩光的行動全是他主使，
天主教堂裏有一架發報機。
（深更半夜，
向敵人報告探來的消息）
愛蓮神甫擦着雙手，
額上生出一顆顆汗珠，
（不是炎熱逼出）
他說：『我愛中國，
比中國人還甚，
我喜歡每一個中國人民，
爲了他們我開設了這座醫院，
爲了他們，
我多方鑑到了慈悲的心。』
他說王恩光
怕是個瘋子，

不然，平日裏
怎會血口噴人？
他說，教堂裏
沒有什麼發報機，
話是用「絕對」的口，
「絕對」的字眼說出，
說話的時節，
他把眼睛向着「耶穌」，
叫你把實情去問他的良心，
他響響的拍着自已的胸脯。
開始搜索：
七八個人忙手忙腳，
希望探進每一個房間，
　　　　　每一個箱篋，
　　　　　每一個牆角，
它們像神甫一般
鎮靜自若
『你看，什麼也沒有！』
向這羣不速的來客這麼解說。
神的指頭
指着了廁所的糞坑，
他們七鍬八撅
在坑裏攪動，
一隻手探下去
提出來了：
一盤電綫，

一堆電池，

一個木匣

肚子裏懷着機器，

『這是什麼？

　這是什麼？』

誰也不說話，

表情[illegible]了雙方的臉子。

『不知道誰的發報機，

　埋在了我的裝坑裏，』

可是，誰也不再聽這空話，

他們[illegible]前擺着個事實。

給發報機照了像，

請神甫簽了字，

他們像得了珍寶，

人和東西一齊離開了這「聖地」。

接着，雜色的標語

出現在雜色的牆壁，

驚心的問號，

惹眼的字跡，

對愛華神甫

佈置了一個總的攻勢。

（五）

河口起了個大騷動，

大街小巷，它的動脈

在一個刺激下，

作了急劇的反應。
什麼比正午的太陽
更熱？
什麼比復仇的心
更切？
三萬多人
結成一個隊伍，
滿臉大汗，
破命呼喊，
響響的火把
前後亂傳。
一隻手一支旗子，
旗子也不甘沈默，
它搖來一陣微風，
上面的標語也張開了嘴。
王恩光走在頭前，
（兩個人架着他走，
腿像抽去了骨頭那麼的軟）
三尺高帽子
把他的罪惡聳上天，
人，恨不得咬下他的一塊肉，
剖開胸膛，看看他有沒有心肝？
總指揮
是那位青年軍官，
他指揮着隊伍
向天主教堂

去和愛華神甫把血債清算。
（隊伍流過一條街，
　就有許多人匯注進來）
隊伍，
像一條長蛇，
把教堂的粗腰
緊緊的綁了三匝。
鐵的大門早已閉緊，
他用這鐵的防綫來阻止這人羣，
人羣對它並不放鬆，
用嘈雜的口，
用震天的吁聲，
用磚瓦石塊
向這「聖地」進攻！
這羣衆裏邊，
有多少是他的佃戶，
有多少是他的信徒
有多少人的賤名
寫在他的契約當中：
他們曾用虔敬的耳朵
聽過他的教義，
他們曾用虔敬的心
接受過他的眞理，
他們在他臉前
流懺悔的眼淚
何只一次！

然而今天，
他們再不想起那些，
他們想起了
不同的東西：！
就是他
叫來機敵
製造悲慘；
就是他
給敵人
把消息打探；
就是他的夥伴
架着意大利飛機來作害凶；
就是他，
喝着別人的紅血
肥大了自己黑色的心肝！
滾吧，
脫下中國的衣服；
滾吧，
撕下慈悲的面皮；
滾吧，
昨天的朋友
今日的仇敵！
他們把憤恨的心
交付給那青年軍官，
他們把自己的要求
交付給那青年軍官，

讓他一個人越過牆去，
當面同愛華神甫去談判。
把旗子
搖出威風；
叫呼聲
裂破喉嚨，
千萬人的氣勢
壓得鐘樓似要倒傾！
軍官出來了——
無數的手掌
拍出歡迎，
急待他開口，
幾萬人口張目瞪！
他從鋼鐵的嗓子裏
彈出了勝利的結果：
「愛華神甫簽下了字，
　廿四小時離開中國！」

「爲抗戰而死，眞光榮！」

小引：

『生前，
他親手
把這句話寫在自己的座右；
死後，
他的朋友
把它字在他的棺頭。』

× × ×

『爲抗戰而死，眞光榮！』
丁鉄珊，
他替自己創造了這八字金經，

貼在案頭上，
對着它，
念着它，
白天藉陽光，
夜晚有燈花。
蕭及紅——
他的朋友，他的司令，
背地裏給他扯掉，
他也不響一聲，
幾時你到他屋子裏去一看，
那句話
又在原來的地方現形。
他結實
又年青，
長期的戰鬥
磨鍊得他
似乎不配他的年齡，
聽他說話，
看他行動，
誰相信三年前他還是個學生？
他放下手裏的筆，
換上一支槍
把自己田地裏的出產
獻做軍糧，
他揭起了「抗日」的大旗，
他領起了五千子弟兵。

他大胆，
他勇敢，
那一次戰爭
不是他站在士兵的前邊？
不管衣帽上
多少槍彈的眼，
沒有一次
他不是從危險走到安全。
他常常這樣教訓他的部下：
『槍子·兒也是怕硬骨頭』。
臘月年上
老百姓忙年，
敵人進犯『徒駭河』
衝着過年關，
丁鐵硎帶一營人
趕去河岸，
鎮守大本營，
蕭司令留在後邊。
「隨時把情況報告過來，
　我好派兵給你增援。」
送他到郊外
蕭司令叮嚀再三，
頭也不回，
彷彿沒有聽見，
跨上大馬
狠狠的抽了一鞭，

二二125

蕭蕭的北風裏
射出了一隻飛箭。
「好好照顧副司令，
　你是知道他牛性情。」
董司令又囑咐了一個衛兵，
他同丁司令不一次共過死生。
「徒駭河」上
結一寸冰。
一道大橋
連接着幸與不幸，
四百官兵像手臂
向兩邊伸開，
丁鐵珊，依附着大堤，
他用人做一道長城。
「不見人影，不發槍，
　描不準不發槍，
　撒出一粒子彈的種，
　就要得到一份收成！」
他傳下了
這樣一道命令，
他同弟兄們
並肩臥倒在大堤的當胸，
遠處的塵沙[illegible]
引來了敵人的兵馬，
他們試探着前進，
不敢用快步趕近，

人馬的影子
一點點長大，
機關槍把口一張，
馬羣立刻亂了陣。
有的回頭就跑
馱着他的主人，
有的放開了獸性，
人，跌落在沙塵。
炮彈落在河面上
冰凌亂開花，
落在沙土上，
沙土把人按倒在它的身下，
機關槍在大堤上
掃起一道一道線，
颼颼作響
像冷風在同死神對話。
牆頭一樣
敵人往上擁，
一堵一堵，
火力把他摧倒，
舊的死去，
新的塡充，
敵人一次比一次多
一次比一次凶猛！
眼看自己的弟兄
草棵似的被鐵片刈倒，

倒在他扎根的土地當中。

丁副司令，

他紅了眼睛，

『不能着等挨打，

　我們要衝鋒！』

他從日記本上撕下一個葉子，

在膝蓋上寫報告給總司令，

字跡像一把亂草，

象徵他氣勢的縱橫。

「敵人已開始移動！

　我已下了追擊的命令！

　『徒駭河』上有我在，

　拿頭來見你，

　如果讓他渡河成功」

從拂曉戰到午時，

從午時戰到日偏西；

沒喝一口水，

沒吃一粒米，

北風撕裂着人，

人，僵成了木石！

誰說冬天的日子一眨眼？

苦鬥把它拉長到無限，

太陽　　　也

像停了擺的鐘表，

好容易熬得它

寒光寸寸縮短。

悲壯的風
向他叫喊，
槍砲的沉默
使他離墻，
夕陽紅着臉
告訴他說：
『敵人倦了，
抓緊這時間』！

『我們要到
　十里以外的村子裏去晚餐；
　我們要打退敵人
　在日落之前』！
丁鐵刑挺起身子，
幾百弟兄齊聲吶喊，
敵人的機關掃過來，
少數人
倒了下去，
多數人
向前猛衝
像一溜烟。
遠處的火光
作了敵人退却的標誌，
一氣衝出十幾里，
殘陽還留着半隻紅眼。
丁副司令——

他來了，
來的是他的屍身，
污血黏着沙土
塗改了他的顏面。
沒有一個人
不拿眼淚代哀，
沒有一個人
感到疲倦，
油燈雨灑，
神殿石開，
對着八十五條死屍
多少個活人，
多少雙淚眼。
第二天一早
蕭司令帶兵來增援，
他清楚了鐵[illegible]的報告，
如同清楚他的個性一般。
副司令的那個衛兵
半途迎上來，
他身上的血
還沒乾，
他臉上的血
還紅鮮，
頓腳，擺手，
涕淚滿臉，
當他一見蕭司令的面！

他一肚子的話
恨不能一口吐出,
可是他甚麼也說不出來,
口叫嗚咽給塞住。
說不出甚麼,
其實甚麼都已說出,
甚麼都很明白,
甚麼都很清楚。
『滾開!
　跟我來!』
蕭司令咬緊牙關
把緊淚泉,
拿鐵的修養
強抑住悲酸。
到了「南鎮」,
他先和生者見面,
大家用淚眼向著他,
他點來點去,
老半天沈默無言。
走進大殿
去看死者,
這回,痛哭的是他,
哇的一聲,鮮血一大攤!
大家靜靜的躺在廊下
八十幾位弟兄
同着他死的朋友丁鐵珊。

今夕是除夕的前夕，
弟兄們的代表
排列在
蕭司令的面前：
「老百姓家家在忙年，
　又是肉饃，
　又是火鞭，
　他們有家，
　他們有新年，
　然而我們所有的，
　是一腔子悲酸！
　死了的弟兄，
　挺在地上
　沒裝進棺；
　活着的弟兄
　眼看別人過年，
　自己的手頭沒有半文錢……」
他們一激憤，
一半傷感，
請蕭司令作主，
不要叫活人看着死屍心寒，
不要叫從死裏戰鬥過來的弟兄，
擱留在淒楚的年關。
「好，你們下去對他們說：
　明天十二點以前，
　不分官長和士兵，

每人有饃，有肉，
有五毛錢。
對他們說，
在除夕的夜晚，
「我把死者全裝進棺。」
縣司令，
他沒有饃，
沒有肉，
沒有錢，
也沒有木棺，
他用話打發走了他們，
立刻招集了『南鎮』的士紳。
一邊用軟話打個底，
他用真情去打動他們：
『父老兄弟們，
我們是一家人。
我們的犧牲，
不全是為了你們？
用槍給你們
搶回個平安的新年，
你們可以喝酒吃肉，
一家人樂敘天倫，
你們可以用火鞭
響出心裏的歡欣；
然而我們
卻沒有歡欣，

有的是困難和酸辛，
我們有八十多個死者
陳屍在大街，
我們有四百多個弟兄
需要慰勞，
二百斤肉，
五百斤饃，
八十五口木棺，
另外還有五百塊錢。」
你瞪我，我瞪你，
對時間與物資，
士紳們表示了
困難和遲疑。
「就是這樣，
明天以前，
到時送不到，
不要說我和大家為難！」
這激激動了蕭司令，
眼淚在眶裏打轉，
話頭射出去
像錚錚的子彈。
第二天，
蕭司令的話
一件件都兌了現，
東西送過來，
在限期這邊，

活着的
有肉有饃有新年。
死了的
一個人一口木棺，
除夕的夜晚
弟兄們向死者祭奠，
『南嶺』的代表們也列在一起，
八十五口白棺
排成生前的行列，
四下裏的爆竹
作了弔祭的火鞭，
紙灰撲人，
香烟辣眼，
人人垂着頭
任憑哭聲和哭聲盡情的糾纏。
蕭司令扶着丁鐵珊的木棺，
木棺上蓋着國旗一面，『為抗戰而死真光榮！』
還是蕭司令的手筆，
寫在他朋友棺木的前端。

136

序引

不是我有意用美麗的詩句
編織一幅新浪漫詞，
這是屢見不鮮的眞實，
而它，給我們提出了一個問題。

（一）

菜油燈的火頭
像一支畫筆，
握在
一隻發抖的手裏，
它蘸著濃黑的烟子
在牆壁的畫布上
學塗一幅速寫畫，
捕捉三隻人影

做它的模特兒。

『壯丁冊子上有我的名字，
　這是命運叫我去的，
　這是國家的命令叫我去的，
　呆在家裏有啥意思？
　太陽，
　每天從東邊走到西邊，
　而眼睛却是近視的，
　能够看到的
　永遠是窮困，災難
　和無聲無臭的死……。
　讓我去吧，
　去報効國家，
　扎全了翎毛的鳥兒
　還要飛出去打個圈子……』
（燈光爆炸了一朶花）
『是的，我知道打鍋賣鐵
　可以弄一千塊錢給我做個替身，
　但是，那怎麽辦，
　一家三口能紮起腸子來過日子？
　不！那是可恥的！
　我歲數正當年，
　小學裏四年的墨水沒有白喝，
　它敎我知道了一些道理……』
（有人在歎氣，有人在啜泣）
『算了吧，

不要用眼淚給我送行，

應當歡天喜地的送我走，

我走了，

心裏也留個快活的影子。

哭，

爲了什麼？

人人的父母用眼淚

把兒子留在家裏，

想想看，

國家會變成個什麼樣子？

眼淚是骯髒的，

我是去當兵，

並不是去死！

我走了

有弟弟守在身旁，

有弟弟守住家鄉，

一年小，三年大，

一轉眼

他就會長得像我一樣；

還有，我知道你們還有一件心事，

那不礙的，

當我有力量養活一個老婆的時節，

再回頭來娶她也不遲……」

爲了怕難分難捨的情緒

死死的糾

他的話頭爭取着主動，

——109

用理智，
用年青的心的跳動，
去擊碎爸娘的話，
幾乎不給它留一個縫。
他躺在自己的牀板上
把睡眠趕走，
苦心編造了一套話，
預備天明到姑母面前去，
到表妹面前去。
把自已裝扮成一個英雄。
但是，當他走上那條小路的時候，
他的心開始搖動，
那些話頭
也一刻一刻萎縮，
一種力量，
他感到却說不出，
慢慢的慢慢的變換著他的情緒。
這一條小路
印着他二十個年頭的脚步，
一個脚步
印着一個記憶，
而今，記憶一個個都復活了
一層一層把他圍住。

（二）

不是火山一樣的沈悶
迫她走開，

不是被歎息傳染了的空氣
逼她走開，
不是的，他姑母走出來，
是她自己替別人拔去一個障礙。
她把那三間房子，
把這最後的一段時間，
讓給她們的姪子
和十七歲的女孩。
他明天就要走了，
他自己也不知道
要走向那裏？
要走得多遠多久？
今天的拜別
也許就是最後的告辭！
他曾經有過太多的時間
和空間
同她一道廝混過，
但是，那時節大家都還是個孩子，
回憶起來才有情意。
他曾經生過花一樣的念頭
和貪心
在表妹身上，
但，那些子貪戀
只能讓它死在心底，
因為別人把守着時間
和空間，

防範他們的青睞，
像防範猛獸一般。
現在，他已單獨對着她，
他可以任性的放一次肆為，
他可以吐出蜜一樣的話，
他可以叫情感
作決堤的泛濫，
他可以叫她的羞澀
刀子似的割裂她的臉；
可是，他像有意珍重他
想像的美麗，
可以兌換成現實，
他却不叫[illegible]現實，
浪漫的情趣死了，
他心上壓着一個[illegible]，
一肚子的話
在來時的心窩裏亂撞，
現在，沒有一句
從心裏跳到口裏。
他沉默着，
她沉默着，
他的眼波流到
她的梳粧鏡裏去，
鏡子裏邊
開着案頭的一朵月季花
她的臉

陪在花邊，

彷彿在　：

「比賽一下誰更好看」。

他呆呆的

看着她鏡中的影子，

她呆呆的

低頭弄著天藍的春衫，

他把眼光

移到窗戶上去了，

窗戶上春光在跳躍，

窗戶上的花影

叫喳歡的雀子

踴躍得亂跳動。

『好，再見，

　表妹珍重，

　盼望等待我

　等待來年』。

他走了，

撇下了這兩句贈言，

送他回來

把房門關好，

從今天起

她把青春推出了自己的門欄。

（三）

他走了，

她的臉再也不會笑，

花的紅，柳的綠，
在她眼裏都是無聊，
百鳥的合唱
不再是和諧的樂曲。
這嘈雜的聲音
只有叫人感到聒噪！
她在潔白的心上
織盡痛相思，
一天又一天，
一年又一年，
別後的日子
在她心上劃亂了標記。
太陽——
這個失了理性的醉漢，
驅着春秋四季旋轉。
他亂揮起手裏的金鞭。
她也沒法打發了夢
去尋找他的蹤影，
她不曾離開過家門，
那裏知道南北，
知道東西，
知道戰場的邊沿
離她身邊有多遠？
但是她一點也不恨他，
不恨他爲什麼不來個信
報聲平安。

（她從沒[illegible][illegible]綠衣使者，
到過她這荒涼的鄉間。）
她聽見自己的青春
一步步走遠，
她祈禱上天
叫鬼子早日消滅，
好把他解放回來——
回到她的眼前。

（四）

像一隻鷓鴣
落到寒門的屋脊——
迎來一位貴客
常常來到她的家裏，
男主人陪他談天，
其實是陪他閒坐，
聽他把這井口的院子
誇成個天堂，
他說他最愛農家的生活。
每次都是一樣
開頭談天氣，
再從天氣扯到戰事，
他竭力找話
把漫長的時間充實，
像是別人對他多感興趣，
他每天必來，風雨無阻，

他是一個不忠實的情報員，
為了解悶，
胡亂編造些戰爭的消息。
他是鄉下的一個「貴頭」，
他是幾個保甲的「主官」，
他住在我們主人的鄰村，
二十年前的老學堂出身。
他自己說今年才四十幾歲，
然而他的兒子已經三十，
他的鬍子也不同意，
豎立在腮邊提出抗議。
他每次各處巡遊
都追隨着五六個衛兵，
匣子鎗半懸在腰間，
叫不認他的人
知道這人物不是小百姓
是一個「官」。
可是來到這裏，
他特別表示家常，
把衛兵揮出門外，
聽到要烟點火的呼喚
才准進來。
他口裏啣着紙烟，
他也寄一支給他的友伴，
他說吸着烟好談話，
雖然這寒傖的主人家

對這一點也不習慣。

『有什麼事只管找我，

　只要我能力所及，

　老鄉居說不到客氣，

　譬如要糧要草有什麼難處，

　我已經命令保長

　叫他特別照顧……』。

『公事眞忙哪，

　像一團絲，

　永遠理不出個頭緒，

　跑衙門，縣長常來請，

　案件又多，簡直把人纏個死……』

他到這裏來

好似是爲了討點淸靜？

這裏什麼都好，

人好，狗也不兇，

連窗前的那棵月季花，

也比別處開得格外鮮紅。

他對這個農家眞留戀，

每天來，每天都新鮮，

屁股總愛着那條板櫈，

一戀就是一整天。

（五）

王嬸婆進門來了，

是什麼風把她吹了來？

一見這位姑娘就陪笑，
好像从她身上
可以發一筆宏財。
她背上的包裹
可以給她賺錢，
她的嘴
給她賺得更多，
她的話頭
每一句都雕着花紋，
她的話頭，
決定了
多少對男女的命運。
她長着眼睛，
專爲了給別人配對成雙，
郎才女貌，
半斤八兩，
只要她一句話，那合適，
就像上過秤的一樣，
她在姑娘臉前
誇那個聯保主任，
誇他的榮華，
誇他的富貴，
她把心裏所有的好字眼
一齊亂往他身上堆。
說他新近才斷了絃，
說她是一個福相的人，

148

一大把鑰匙在等待着她，
等她去開幸福的門
『不要怕已經訂過親，
　打仗二年多了，
　還指望回來個活人？
　癡心當不了眼前的福，
　不要叫她
　白白耽誤了自家的青春』！
她的嘴角上直噴銀星，
姑娘的臉上直飛紅雲，
像是一場決死的搏鬥，
她要戰勝這處女的心。
一轉身走出她的房屋，
一屁股墩在外間的當門，
她又另闢一個新的戰場，
眼前的對手——
姑娘的爹娘。
她說洪運來碰他家的門檻，
但不知他們有沒有福分來承當，
她說：姑娘大了不爭久留，
留來留去變結仇冤，
他說只要一言出口，
立刻就可以平地升天。
男主人的眼
望着女主人的眼，
兩口子用眼睛

交換着意見，
女的眉梢上
掛一片歡喜，
男的眉頭上
結一個爲難。
『半月以後
　我再來聽消息，
　我這就去聯保主任的家裏，
　就算我願意，您願意，
　人家願不願意
　還得看你們的運命』。

（六）

『日本兵到了！』
魔鬼在造謠，
人們拔腿就跑，
也不回頭，
女的抱着孩子，
男的拉着牲口。
秋後的曠野上
塡滿了人，
像世界末日
已經來臨，
沒有了理智作主宰，
求生的本能
在鞭驅着他們。

跑呀，
跑呀，
看誰的勁更足，
到底要跑到那裏去？
你問誰，
誰也不會給你個答覆。
她的全家
浮在這人流裏，
十二歲的小弟第
拚命用鞭條抽打黃牛，
是她，你卻不認識她了，
頭頂的黑布，
臉上的黑灰，
身上的破舊衣服，
掩護着她的美。
她們正在走頭無路，
正在愁着沒處安身，
沒處住宿，
一位救星來了——
聯保主任把她們喊住，
他的出現正在證實：
上天原無絕人之路。
她們隨着他，
把生命交給他，
他[illegible]她們[illegible]十里外
他的一個「莊頭」的家。

——151

這家人，牛棚裏的牛
都被牽出了大門。
遠近的親戚，
陌生的難民，
親親熱熱的擠攏在一起，
疲倦還按住驚惶的心。
晚上，穿着白天的衣裳，
衣裳上帶着原樣的灰塵，
脊梁對着脊梁，
想睡又不敢睡穩。
我們這位姑娘
剛剛合上眼
一個半人半獸的怪物
撲到了她跟前，
正在她生死當中
容不下一根頭髮，
嘭的一聲，
她被驚醒，
朦朧的眼裏，
拖着一個青年軍官的影……

（七）

她們四口人，
一個也不缺的
回到了家門，
家，

却不中[illegible]的簸子
迎接他們，
飽滿的麵缸，
飽[illegible]的糧食囤，
鼓起肚皮
等候主人
有口它們却不會說話，
說一聲：
盜走糧麵的
不是日本兵，
是另外一些人。
男主人
正在咬着煙斗
愁明天怎麼過日子，
保長駕到，
把一把條子塞到他手裏：
軍麥若干，
軍柴若干……
送到辦公處，
限期是三天。
他怕那些條子，
他更怕保長的臉，
困難上壓困難，
專和窮人[illegible]命，這老天！
正在沒路可走，
聯保主任的諾言在心上一跳，

——153

他想去找他，
又怕他的門台太高。
他正在躊躇着
去求貴人，
王婆子來了，
來取他的回音，
他被困窘
迫進了
生活的夾道。
要死要活
憑自己去挑。
虛榮同現實
替他做了主人，
讓她美麗的名子
第二次落上紅紙，
也不管勾起她
多少回憶和傷心。

（八）

當年引他出去的路，
今天又送他回來，
連他自己也不敢這麼想，
眞是一個奇巧的安排。
春風吹過來，
喜歡備他

把步子走快，
歌聲
有鳥唱和，
一路上的春花
迎着他歸
他打開心的流水眼，
查一下，
那年那月那一天
離開的家鄉，
到今天為止
來總結一筆：
一共是兩個年頭零十四日。
兩年，
不算一段短的時間，
隨着季候的變遷，
災難和幸福
不知多少次交替過
統治人間的威權；
兩年，
走過的路
一時沒法用里數來計算，
把老娘半生的紡績
接起來
怕也沒有那麼遠；
兩年，
住過的地方

像星星
分佈在長天，
路線的網，
織入了
半個中國的河山；
兩年，
他一身經過了何止百戰，
用必死
突破了重重的鬼門關；
兩年，
受的辛苦
像一座山，
他用快活的心
把它吞嚥；
兩年，
他從一個兵
升成一個官。
他回來，
帶着營長的銜，
國家不吝惜它的光榮，
他也沒吝惜過自己的生命；
兩年，
心上掛着家，
掛着爹娘，
也掛着個「她」。
今天，

他要實現一個夢，
這個夢，
用無數的幻想砌成，
他正走在回家的道上，
這條道，
引導幻夢
去和現實溝通。
他想她
用怎樣的歡心
來迎見他，
她用沈默
說出無限的話，
他想像
這彩色的絲綢
會使得她眼波流出來，
這些華貴的料子
第一次開她的眼界；
他想，
這南洋玉的手鐲
如何去貪戀，
她的手腕，
他想，
金黃的首飾
會把她裝飾成
一個天仙。
已經做成的衣服

——157

是用她的心做着尺標，
但是，誰知道，
她又肥了幾分？
長了多少？
他想着，
一步步近了
自己的村莊，
他想着，
春風像美酒
灌醉了這遠方的歸人。

（九）

老娘用眼淚
把一個消息送給他，
不是暴怒，
不是責罵
他用平靜的心
接受下它。
『兩年已經過了，
　還怨得人家？
　是我負了約期，
　並不是她！
　憑兒子的身分
　不愁一個女人，
　不要悲傷吧，
　我的雙親！

今天只要去
看看姑母，
看看表妹，
姻緣雖是不到，
我們可還有兄妹的情分。』

他懷着一顆亂跳的心
他懷着衣料和首飾，
他一口氣跑到姑母的面前，
份突然從天上落下平地？
他給他們
帶到的驚訝
多過歡喜，
他的身子
就是一個難題，
看一對老夫婦
彼此抱怨：
你說不該，
我說不該，
『你看人家
做了官回來！』
聽一對老夫婦
互相磨牙：
他說不是他作的主，
她說不是她作的主，

159

當日作主的
好像是老天。
他任着
他老兩口子
在那裏追悔，作難，
他一個人
走進了表妹的房間，
他英爽的樣子
逼得她不敢正眼看，
她像一尊女神，
那麼美麗
那麼尊嚴！
『我這次回來是爲了結婚，
　回來了
　妳一條身子
　又許給了別人。
　這，我一點也不恨妳，
　只怨我自已，
　怨我的命運，
　我明天就回部隊去，
　我願意妳永遠的幸福！
　這裏是爲妳製辦的新衣，
　請用表妹的手
　把它收下

作一份餽贈，
看在大哥的情分上。」

他的話
說得越甜，
聽起來
她內心越苦，
胸口裏
燒起一把火，
無心去看
那紅紅綠綠。
讓老長的一段時間
拖着沈重的步子
從他的心上
走過去，
神，
給了她最後的勇敢：
『我沒有對不起你，
直到今天！
還不是訴苦的時候，
一切話留到後來再談。』
再往下去，
話音越來越細越急，
像一條水流
擠在亂石橫塞的谷底……

（十）

女主人，這天晚上
留他在這邊停宿，
第二天一早，
飛去了這一雙青年男女。
男主人，
咕嚕着亂罵：
千不應分，
萬不應分，
不應分把一個女兒
許配兩個男人；
女主人，
也咕嚕着亂罵：
只迷了「竅」，
叫你去幹什麼聯保主任！
他慌慌張張的
跑去送信，
叫聯保主任
趕快派人。
自己的姑娘自己不作主，
誰搶到手就是誰的人。
他計算，
她們今天

一定住在她的姑家，
那村子離這裏六十里路遠，
聯保主任吹鬍子瞪眼。
照着指示的目標，
他放出了十幾隻鷹犬。
他們趕到了目標的地，
他們停在一家門前，
屋子裏在唧喳着私語，
燈光把神秘洩漏了一窗戶。
一陣急烈的拍門，
拍得星星也抖動，
拍得狗子發了瘋，
拍得小燈閉死了眼睛。
準備好了，
一位媳婦來打開門，
屋子裏
闖到了大兵一羣。
進門就要人，
人卻不見影，
小燈再亮起來，
照出一室空空。
這瞞不了人，
剛才明明是情切的語聲，
越瞞越有假，

他們到處瞪着眼睛。

一隻大木箱

膽怯的坐在牀頭，

一把鐵鎖

緊鎖住它的口；

一個大兵把它一踢，

一聲叫吼：

『好，有了，就在這裏，

　弟兄們抬着它走！』

磨破了

十幾個人肩上的皮，

把它抬到了

聯[illegible]主任的家裏，

當着幾雙熱切的眼，

打開了這只神祕的箱子

那裏有他要的那個女郎？

裏面是區長的一具死屍。

（這位區長，爲了戀一個孀婦

　，用死來遮蓋自己的臉了。）

卅年十一月廿八日於臨泉

廣西省圖書雜誌審查處發給總字第六五九號